collana dell'ascolto che non c'è

the unheard voice of children

Curatrici dell'edizione / *Editing*
Marina Castagnetti, Vea Vecchi

Traduzione / *Translation*
Leslie Morrow

Progetto grafico / *Graphic design*
Rolando Baldini, Vania Vecchi

Impaginazione / *Text composition*
Isabella Meninno

Consulenza pedagogica per l'edizione /
Pedagogical consultancy for the publication
Carla Rinaldi

Stampa / *Printed by:*
grafiche rebecchi ceccarelli s.r.l. - Modena

Scarpa e metro edito da:
Shoe and Meter published by:
REGGIO CHILDREN S.r.l.
Via Guido da Castello, 12 - 42100 Reggio Emilia - Italia
tel. +39 0522 455416 - fax +39 0522 455621
e-mail: info@reggiochildren.it - web site: www.reggiochildren.it
Cod. Fisc. e P.IVA 01586410357 - Cap. Soc. Euro 260.000,00
Iscritta al Registro Imprese di RE n° 01586410357 - R.E.A. di RE n° 197516

Centro internazionale per la difesa e la promozione dei diritti e delle potenzialità dei bambini e delle bambine
International center for the defence and promotion of the rights and potential of all children

Comune di Reggio Emilia
in collaborazione con
Ministero della Pubblica Istruzione
Municipality of Reggio Emilia
in collaboration with
the Italian Ministry of Education

Nidi e Scuole Comunali dell'Infanzia di Reggio Emilia
Municipal Infant-Toddler Centers and Preschools of Reggio Emilia

Scarpa e metro
Shoe and Meter

I bambini e la misura
Primi approcci alla scoperta, alla funzione, all'uso della misura

Children and measurement
First approaches to the discovery, function, and use of measurement

Protagonisti - *Protagonists*
bambine e bambini
fra i 5 e i 6 anni
della scuola Diana
5 and 6-year-old children
of the Diana School

Insegnanti coordinatrici del progetto
Project coordinators
Marina Castagnetti
Vea Vecchi

Fotografie
Photographs by
Vea Vecchi

Consulenza pedagogica
Pedagogical consultancy
Loris Malaguzzi

autori dei disegni
bambine e bambini dai 5 ai 6 anni
drawings by
5 and 6-year-old children

Sommario
Contents

L'invisibilità dell'essenziale — *Sergio Spaggiari*
The Invisibility of the Essential

Scarpa e metro — *Loris Malaguzzi*
Shoe and Meter

L'avventura del conoscere — *Marina Castagnetti, Marina Mori, Laura Rubizzi, Paola Strozzi, Vea Vecchi*
The Adventure of Learning

Un metro per l'amicizia — *Carla Rinaldi*
A Measure for Friendship

Nota preliminare

L'introduzione e gli scritti a commento delle immagini fotografiche sono stati redatti dalle curatrici attingendo a documenti e registrazioni audio di Loris Malaguzzi, realizzando così un testo integrato.
Malaguzzi era solito incontrare gli insegnanti discutendo e interpretando insieme a loro il materiale documentato.
Incontri preziosi.
La delicata operazione di *riscrittura* dei testi si è realizzata cercando di intervenire il meno possibile, con grande attenzione e rispetto al ritmo e allo stile narrativo dell'autore.

Preliminary note

The introduction entitled "Shoe and Meter" and the comments on the project and images were edited from texts written by Loris Malaguzzi and recordings of conversations with him, brought together to form an integral text.
Malaguzzi often met with the teachers to discuss and interpret the documentary material together with them.
These were precious occasions.
In the delicate operation of rewriting, *we tried to intervene as little as possible and with the utmost attention to and respect for the rhythm and narrative style of the author.*

Cervelli che si scambiano le idee
Brains exchanging ideas

L'invisibilità dell'essenziale

Dare la parola ai bambini è stata fin dall'inizio la coraggiosa avventura della collana editoriale "l'ascolto che non c'è".
Ma le tracce di vita e di pensiero che i bambini ci lasciano, a volte non possono essere racchiuse dentro alle sole parole. Spesso necessitano di altro: immagini, disegni, scritti ma soprattutto storie, narrazioni.
Infatti "Scarpa e metro" ci invita all'ascolto di una storia di bambini di 5 anni che cercano di dare senso e forma alle misure e ai numeri.
È una storia interessante ed attraente che ci testimonia quanto avesse ragione Bacone, qualche secolo fa, ad affermare: «La mente e la mano se agiscono separate non combinano niente, se agiscono unite possono combinare qualcosa, ma possono combinare molto di più se agiscono insieme ad uno strumento».
Nell'acquisizione delle conoscenze, ci ricorda insomma Bacone, non va dimenticata la forza maieutica degli strumenti che si utilizzano, perché anche essi hanno la capacità di suggerire idee e di far nascere pensieri. E pertanto, come dimostra la storia "Scarpa e metro", è sempre saggio saper cogliere negli oggetti e negli utensili l'attività creatrice che sta nelle loro potenzialità: pensare il possibile è già, anche per i bambini, inventare, scoprire, progettare. Ma dobbiamo essere ben consapevoli, che assumere questa ottica ci fa uscire dall'approccio tradizionale della psicologia dello sviluppo che si è spesso affidata, per l'acquisizione delle conoscenze, alla trasmissione dei saperi e dei contenuti tramite i canali appropriati offerti dagli adulti ai bambini.
L'approccio interattivo-costruttivista, cambia questa visione, e propone di non insegnare ai bambini quello che i bambini possono scoprire da soli; il ruolo cruciale di tale tipo di approccio è quello di intervenire soprattutto attraverso mezzi indiretti, predisponendo contesti facilitanti, creando situazioni arricchenti e aiutando i bambini ad essere artefici diretti dei loro processi di apprendimento.
Di tutto questo si fa una testimonianza efficace nell'esperienza raccontata in questo volume. Ma la pubblicazione di questo libro assume un ulteriore importante funzione: è un buon esempio di documentazione educativa. Ed è anche per questo specifico motivo che ci siamo convinti dell'opportunità di avviare, con questa pubblicazione, una collaborazione editoriale con il Ministero della Pubblica Istruzione con il quale il Comune di Reggio Emilia ha recentemente stipulato una Convenzione per la qualificazione della Scuola Materna Italiana. Credo infatti che la *documentazione* rappresenti oggi uno dei nodi cruciali dell'azione educativa.
Del resto nessuno lo può smentire: l'educazione infantile è un ramo dell'agire umano che storicamente ha manifestato una evidente *allergia documentativa.*
Se si eccettua la produzone editoriale sicuramente cospicua ma che di certo ha più teorizzato che testimoniato (e che comunque si è interessata

maggiormente alla trattazione concettuale), molto scarsi sono i materiali documentali in grado di rendere visibile e analizzabile la ricchezza o la povertà delle eleborazioni pratiche e teoriche compiute in campo scolastico.
Molte esperienze educative anche di grande pregio rischiano pertanto di rimanere ancorate alle sole memorie personali di singoli insegnanti.
Così praticamente si disperde un consistente patrimonio di idee e di eventi che potrebbero altresì divenire materiale prezioso per lo studio e il confronto pedagogico.
Infatti la documentazione, nata forse inizialmente per offrire ai bambini una occasione di valorizzazione delle proprie opere e per consentire ai genitori di essere meglio informati sui vissuti scolastici, è stata presto scoperta come straordianaria opportunità per gli insegnanti di riesaminare e ripercorrere gli itinerari operativi compiuti per trarne indiscutibili vantaggi conoscitivi e professionali.
Il valore della documentazione è stato anche meritoriamente sottolineato nei recenti orientamenti della scuola materna italiana ed è pertanto augurabile che essa si consolidi come pratica quotidiana di lavoro ma soprattutto come *forma mentis* dell'educatore italiano.
Ma forse è opportuno ora definire meglio le possibili funzioni e finalità del documentare. Se documentare infatti vuole essere finalizzato a meglio capire i bambini allora dobbiamo evitare di concepire la documentazione come pura conservazione e fruibilità dei risultati finali di un percorso didattico educativo.
Limitandoci a ciò si potrà certamente valorizzare e meglio conoscere *l'ottenuto* ma non si conoscerà *l'accaduto*.
È per questo che sono ormai molti gli assertori dell'importanza strategica di documentare i processi anziché i prodotti.
Ma anche a questo riguardo è opportuno avanzare ulteriori specificazioni.
Infatti molto spesso la documentazione dei processi viene pensata e realizzata alla fine di un itinerario educativo ed è costruita come semplice resoconto descrittivo delle tappe attraversate lungo il percorso compiuto.
Essa diviene una sorta di ricostruzione fedele, di trascrizione autentica dell'avvenuto, dove lo sforzo maggiore è di dare oggettività alla rappresentazione aderendo il più possibile alla meccanica reale dei fatti.
Questo tipo di documentazione, che io chiamerei ad *effetto riassunto*, è indubbiamente utile e preziosa perché di certo diviene comunque materiale per riordinare e riorganizzare i pensieri e gli eventi.
Ma sembra dimenticare una verità educativa richiamata anche nel "Piccolo Principe" di Saint-Exupéry: l'essenziale è invisibile agli occhi.
In altre parole quello che conta in educazione il più delle volte sfugge alla fotografia, si nega alla registrazione, perché spesso appartiene al mondo delle possibili interpretazioni.

Infatti se quello che ci interessa è esplorare la genesi e lo sviluppo dei significati che il bambino costruisce nei suoi incontri con la realtà, se vogliamo saperne di più attorno alle procedure di pensiero e di azione attivate dal bambino nei suoi percorsi di apprendimento, allora dobbiamo documentare non tanto quello che è avvenuto attorno al bambino ma soprattutto quello che crediamo sia avvenuto dentro il bambino.
Dobbiamo cioè cercare di interpretare i *possibili* accadimenti cercando di cogliere gli aspetti invisibili ma straordinariamente significativi dei processi di crescita infantile.
I significati di un processo educativo e relazionale sono spesso nascosti e rimandano sempre ad una idea di ambivalenza conoscitiva e di pluralità semantica che già Italo Calvino riprendeva in "Lezioni Americane": «...siamo sempre alla caccia di qualcosa di nascosto e di solo potenziale e ipotetico, di cui seguiamo le tracce che affiorano».
Credo perciò che si debba essere sufficientemente diffidenti sul valore conoscitivo e comunicativo di una documentazione meramente descrittiva e linearmente riassuntiva. Essa può dare l'illusione di riprodurre meglio la realtà empirica, ma il più delle volte impoverisce e immobilizza.
Meglio perciò affidarsi ad una documentazione intesa come pista narrativa ed argomentativa, ad *effetto racconto*, che cerca nel dare forma e sostanza all'accaduto di percorrere le strade ipotetiche e interpretative, di scavare in profondità, di immaginare trame e percorsi non necessariamente sequenziali, in sintesi che cerca di dare senso agli eventi e ai processi, tentando di disvelarne i misteri.
Dobbiamo cioè aderire non tanto alla reale successione dei fatti ma inseguire piuttosto con il racconto la possibile comprensione dell'intricata avventura dell'apprendimento umano.
Conosciamo troppo poco di come un bambino impara, di come nascono le conoscenze e le opinioni, di come si consolidano le abilità, di quali e quante strategie servono al pensiero e al linguaggio. Siamo ancora troppo ignoranti a questo riguardo per poterci consentire il lusso di privilegiare un registro comunicativo e documentativo che abbia la pretesa di descrivere e non il coraggio ermeneutico di interpretare.
Paragrafando una felice metafora di Walter Benjamin, io direi che chi scrive storie è il viaggiatore, che scrive riassunti è il sedentario. Quest'ultimo ama la consuetudine e ricerca le certezze e la regolarità. Il primo invece si apre al nuovo e ha l'ardire di esplorare terreni sconosciuti.
Per questo io credo che la documentazione-racconto a stile narrativo e non riassuntivo-descrittivo, può meglio corrispondere al bisogno di attivare in educazione la lettura e la ricognizione dei fatti e la ricerca dei significati, non solo per riflettere il reale ma per consentirci di riflettere sul reale.
Del resto la forza conoscitiva e decifrante del racconto era anche ben apprezzata da Gianni Rodari che in una sua celebre frase affermava: «Le cose di ogni giorno nascondono segreti a chi sa guardare e raccontare».

È in questa ottica che la documentazione, diviene parte integrante della progettazione educativa e strumento indispensabile per l'ascolto, l'osservazione e la valutazione, definendosi come abito mentale, come atteggiamento culturale più che come competenza tecnico-professionale.
Per questo io penso che "Scarpa e metro" possa rappresentare un utile tentativo di documentazione didattica; perché è un racconto di storia di vita, perché fa uscire la scuola e la pedagogia da un'immagine di impotenza e di separazione della realtà, perché può ridare forza al "genio potenziale" (Morin) delle insegnanti, riscattando e offrendo senso ad un lavoro spesso umiliato e routinario.
E comunque, al di là degli apprezzamenti specifici, è mia profonda convinzione che il mondo della scuola debba iniziare a comprendere che produrre documenti e testimonianze attorno alle esperienze educative significa avvicinarsi ad una miglior conoscenza dei modi di funzionamento della mente, degli stili di apprendimento e delle strategie comportamentali dei bambini significa alimentare la fonte sorgiva di nuove teorie e nuove pratiche pedagogiche significa liberare speranze per una rinnovata cultura dell'infanzia.
E di questa nuova frontiera culturale per l'educazione infantile si percepisce un gran bisogno.

Sergio Spaggiari
Direttore degli Asili Nido e delle Scuole dell'Infanzia
del Comune di Reggio Emilia

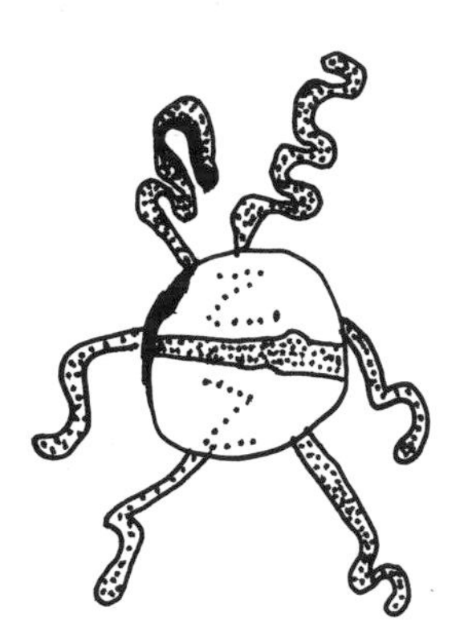

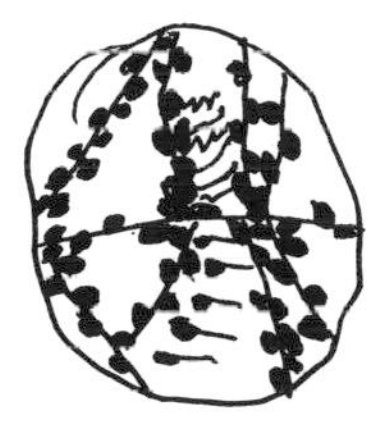

Cervelli che pensano in modo diverso
Brains that think in a different way

The Invisibility of the Essential

Right from its inception, the courageous endeavor of the series that we call "The Unheard Voice of Children" was to give a voice to children.
The traces that children leave us of their lives and thoughts cannot be enclosed in words alone, but need something more: images, drawings, writings, and above all narratives.
Shoe and Meter *invites us to listen to the story of a group of five-year-old children who are trying to give shape and meaning to the concepts of measurement and number.*
This fascinating story testifies to the soundness of the argument advanced many centuries ago by Francis Bacon: «If the head and the hand act separately, they conclude nothing; if they work together they can accomplish something, but much more can be done when head and hand work together with a tool.»
In acquiring knowledge, then, as Bacon reminds us, the maieutic power of the tools we use must not be forgotten because they, too, can stimulate ideas and bring thoughts to life. Thus it is always wise - as this story demonstrates - to know how to grasp the creative potential of objects and tools. Thinking about what is possible is in itself an act of inventing, discovering, and planning, and this is also true for children.
We must also be aware, though, that assuming this point of view takes us away from the traditional psychological approaches to the acquisition of knowledge based on the transmission of knowledge and content from adults to children by way of appropriate channels.
The interactive-constructivist approach turns this idea around and proposes not *to teach children what they can discover for themselves. In this way of thinking, the crucial role of the teacher is to intervene above all indirectly, offering contexts that facilitate learning, creating enriching situations and helping the children to be the direct agents and constructors of their own learning processes.*
The experience described in this book testifies to such an approach.
But the publication of Shoe and Meter *also has another important function: it is an effective example of educational documentation. This is one of the reasons why we seized the opportunity to initiate a collaborative publishing venture with the Italian Ministry of Education, with whom the Municipality of Reggio Emilia has recently stipulated an agreement for working together to raise quality standards in early childhood education.*
Documentation*, in my opinion, is currently one of the most crucial issues in education. At the same time, we can cannot deny that early childhood education is one branch of human activity that has historically manifested a sort of allergy to documentation. Apart from the scholarly books and articles, which are many but tend to offer theories rather than testimonies (and which, in any case, are primarily concerned with conceptual aspects), there are few documentary materials that*

can truly make visible the wealth (or poverty) of practical and theoretical developments that actually take place in schools and provide an opportunity to analyze these developments.
This is why many educational experiences, even the most progressive, risk remaining anchored only to the personal memories of individual educators.
We thus have a consistent dispersion of the wealth of ideas and events which could otherwise become precious material for pedagogical study and reflection.
Though documentation may have originated as a way to offer children an opportunity to evaluate their own work and to keep parents better informed about school experiences, it was soon discovered to be an extraordinary opportunity for teachers to revisit and re-examine their own work with children, offering unquestionable benefits in terms of professional development.
The value of documentation has also been duly underscored in the recently published Orientamenti *(official guidelines) for Italian preschools, and it is thus to be hoped that documentation will be consolidated not only as a daily practice but also as a* forma mentis *for educators.*
But perhaps at this point we should better define the possible functions and aims of documentation. If the aim of documenting is to understand children better, then we must reject the idea of documentation merely as a way to conserve and use the final results of a didactic project. Though limiting documentation in this way can certainly enable us to evaluate the results and understand them better, it does not show us how those results were reached. For this reason, many educators now assert the strategic importance of documenting processes *rather than* products.
In this light, we should make some further considerations.
The documentation of processes is often planned and carried out at the end of an educational experience, and is constructed simply as a descriptive account of the steps taken along the way. This becomes a sort of faithful reproduction of the experience, an authentic transcription of what took place, in which the greatest effort is made to provide an objective representation and adhere as much as possible to the real mechanics of the facts. This type of documentation, which I would call "by summary", is undoubtedly useful and important because it provides material for reordering and reorganizing thoughts and events. But it seems to leave out an educational truth which was also evoked by Saint-Exupéry in The Little Prince, *i.e. that the real essence of things is invisible to the eye. In other words, what counts in education is often that which escapes being photographed or tape recorded, because it belongs to the world of possible interpretations.*
If we are interested in exploring the genesis and development of meanings that children construct in their encounters with reality, if we want to know

more about the procedures of thought and action used by individual children in their learning processes, then we must document not only that which took place around *the child, but above all that which we think has taken place* within *the child.*
Therefore, we must attempt to interpret the possible *occurrences, trying to grasp the invisible but extraordinarily significant aspects of the processes involved in a young child's growth and development.*
The meanings of an educational and relational process are often hidden, and lead to thoughts of cognitive ambivalence and semantic plurality, a situation which Italo Calvino confronted in American Lessons*: «We are always searching for something hidden which is only potential and hypothetical, the traces of which we follow as they appear.»*
I feel that we should be somewhat suspicious of the cognitive and communicative value of documentation that is merely descriptive and offers a linear summary. This type of documentation can give the illusion of reproducing the empirical reality, but more often than not it impoverishes and immobilizes that reality.
It would be better, then, to make use of documentation "by narrative" which, in giving shape and substance to the events that have taken place, attempts to follow hypothetical and interpretive itineraries, to dig down deep, to imagine plots and paths that are not necessarily sequential; i.e. to give meaning to events and processes in an attempt to reveal their mysteries. This means that we do not need to focus solely on the actual succession of facts, but rather to pursue, by way of the story, a possible understanding of the intricate adventure of human learning.
We know too little about how children learn, how knowledge and opinions are formed, how skills and abilities are consolidated, which and how many strategies serve thought and language. We are still too ignorant in this regard to be able to afford the luxury of giving priority to a communicative and documentary form that claims to describe. We must have the courage to interpret.
Paraphrasing a charming metaphor of Walter Benjamin's, I would say that he who writes stories is the traveller, and he who writes summaries is the sedentary person. Sedentary people love that which is known and usual and search for certainties and regularity. The traveller is open to the new and has the courage to explore unknown lands.
For this reason, I feel that "documentation-as-story", with a narrative rather than summary-descriptive style, better corresponds to the need for schools and educators to read and revisit the facts and search for meanings not merely in order to reflect reality but to enable us to reflect on *reality.*
The cognitive and deciphering power of narrative was also much appreciated by Gianni Rodari, who is well remembered for saying: «Everyday things hold wonderful secrets for those who know how to observe and to tell about them.»
In this light, documentation becomes an integral part of educational planning and organization and an indispensable tool for listening, observing, and

evaluating. It could be defined as a mental space and a cultural attitude more than a technical-professional skill.
For this reason, I think that Shoe and Meter *represents an effective attempt at didactic documentation, because it tells a story of life, because it takes the school and pedagogy away from an image of impotence and separation from reality, and because it gives new strength to the "potential genius" of teachers (Morin), giving freedom and meaning to a job that is too often humiliated and fraught with routine.*
Apart from these specific considerations, it is my deep conviction that the world of school must begin to understand that producing documents and testimonies to the educational experience means drawing closer to a better understanding of the workings of the human mind and of children's learning styles and strategies of behavior. This can create a rich source of new pedagogical theories and practices, as well as hopes for a new culture of childhood.
Early education is greatly in need of such a new cultural frontier.

Sergio Spaggiari
Director of the Municipal Infant-toddler Centers and Preschools of Reggio Emilia

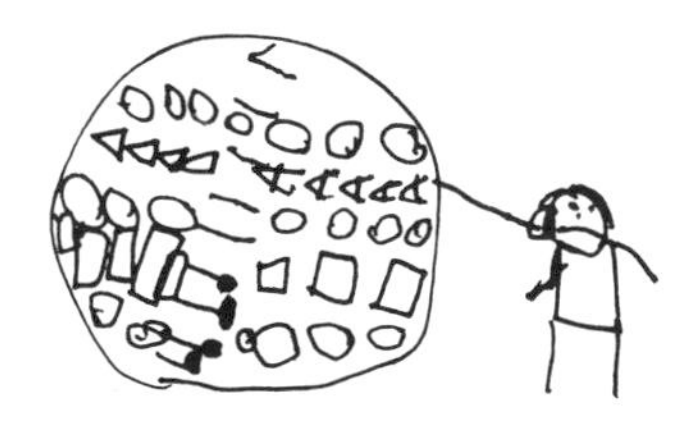

Brains that think in a different way
Cervelli che pensano in modo diverso

Scarpa e metro

La percezione e l'apprendimento dello spazio, dei suoni, delle dimensioni, delle misure e dei numeri è, sin dagli inizi, dentro alla esperienza di vita e di relazione dei bambini.
La nostra vita moderna è impregnata di linguaggi, di percezioni, di segni, di simboli matematici. Il lavoro dell'uomo, i suoi strumenti di lavoro, i suoi disegni, la decorazione e l'abbigliamento del corpo, la costruzione di case, di strade, le misure (la lunghezza, la larghezza, l'altezza, il peso, il valore dei soldi, ecc...) implicano il ricorso a percezioni geometriche e aritmetiche.
I bambini accedono al pensiero matematico attraverso le operazioni di orientamento, di gioco, di scelta dei linguaggi relazionali e descrittivi.
Ma contrariamente ai popoli primitivi che ebbero bisogno di creare parole e un apposito vocabolario, i bambini del nostro tempo si trovano già continuamente di fronte a nomi di numeri, a grafie di numeri, a parole di quantità e misure, li affrontano e li usano prima ancora di conoscerne il senso, i valori, i ruoli e le finalità della loro utilizzazione.
Se l'educazione deve partire dalle esperienze reali, risulterà giusto che la scuola se ne appropri e ne faccia oggetto di indagine, di studio e applicazione.
Sarà bene che la scuola parta da problemi e situazioni concrete così da generare interessi e motivazioni più immediate e resistenti.
In questo caso i bambini partono da una situazione vera e sentita: la scuola e i bambini hanno bisogno di un altro tavolo per favorire il loro lavoro, di un tavolo che sia uguale agli altri, delle stesse dimensioni e delle stesse forme. Che fare?
I bambini dicono di chiamare un falegname e proporgli la costruzione del tavolo. Ma come fare a illustrargli ciò che desiderano? Il falegname dice: «Mostratemi tutte le misure e io vi farò il tavolo».
I bambini dicono di sì al falegname, gli faranno avere tutte le misure necessarie. Il falegname li mette in guardia: «Ma siete capaci di misurare?».
È una sfida molto grossa.
Si autopropongono sei bambini, cinque maschi e una femmina di età compresa tra i 5,5 e i 6,2 anni. Sono bambini che si conoscono da più di quattro anni.
È la prima volta che si cimentano insieme nella misura. Non hanno nozioni né esperienze in materia.
Da parte nostra abbiamo la convinzione che la misura sia il grande e più provvido canale per avvicinare i bambini di 5 anni al mondo dei linguaggi numerici e matematici.
La prova, la *sonda* come noi la chiamiamo, non è dunque una simulazione né una ricerca di laboratorio. Nasce da un problema fatto proprio dai bambini.
Tenteremo piuttosto un'osservazione etologica in un contesto scolastico che cerca indicazioni e significati psicologici, cognitivi, educativi: un pezzo di vita nostra e dei bambini.
Staremo lontani da ogni rigidità metodologica.
Concordiamo coi bambini di lavorare al mattino per tempi che le situazioni stesse suggeriranno.

Saranno liberi di confermare non solo le loro scelte
ma di decidere se lavorare tutti insieme,
a piccolo gruppo, da soli. Desideriamo assodare
come e quanto i bambini si vincoleranno al
problema.
Non avremo fretta, nessuno porterà via il tempo
che occorre per pensare, fare, trovare, creare e
cambiare idee e applicazioni.
Gli altri compagni saranno via via informati di
quanto accade.
Due insegnanti seguiranno il lavoro. Una per
osservare e registrare. Una per fotografare.
Le insegnanti cercheranno, quanto più possibile, di
rappresentarsi ai bambini come risorse disponibili:
soprattutto per le ricognizioni degli eventi o per
possibili prestiti di sapere. Solo quando l'azione
dei bambini ristagnerà o si troverà inceppata e avrà
bisogno di quei *prestiti di riavvio*, di
aggiustamento, di "situazioni maggioranti" nel
senso di Piaget e di operazioni di sviluppo delle
"aree prossimali" nel senso di Vygotskij.
L'indagine si è protratta per una decina di giorni:
quaranta-cinquanta minuti ogni giorno.
La complessità della prova non ha mai messo in
soggezione o paralizzato il lavoro dei bambini:
anzi più la sfida si alzava e più i bambini alzavano
la loro tenacia tra momenti di seria concentrazione
e momenti di pensieri giocati in comune allegria.

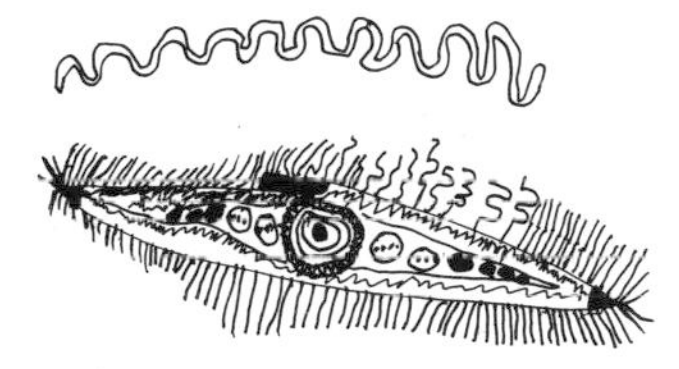

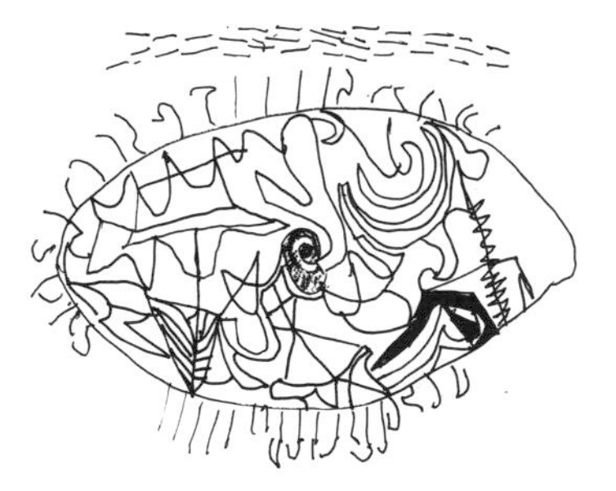

Loris Malaguzzi
Pedagogista Fondatore dell'esperienza educativa
prescolastica di Reggio Emilia

Shoe and Meter

Perceiving and learning about spaces, sounds, dimensions, measurements, and numbers is part of children's experience of life and relationships from the moment they are born. Modern life is full of mathematical languages, perceptions, signs, and symbols. Our work and working tools, our clothing and accessories, the construction of buildings and roads, making measurements (length, width, height, weight, the value of money, etc.): these and many other aspects of our daily life involve geometrical and arithmetical perceptions.
Children approach mathematical thought through experiences of orientation, games, and the language used for describing things and making relations and comparisons. But differently from primitive peoples who had to create new words and leixcons, the children of today are constantly confronted with names of numbers, pictures of numbers, and words expressing quantity and measurement, and they use these words even before knowing their meanings, values, roles, and purposes.
If we believe that education should start from real experiences, then the school should appropriate these experiences and make them the subject of investigation, study, and application. The school should start from concrete problems and situations so as to ensure more immediate and lasting interest and motivation.
In the story told here, the children are confronted with a real-life situation: the school needs another work table, one that will be identical to the others, the same size and same shape. So what can we do?

The children suggest that we call in a carpenter and ask him to build us the table. But how can we show him what we want? The carpenter says: «Give me all the measurements and I'll make you the table.» The children agree to give him all the necessary measurements. But the carpenter immediately puts them on guard by asking: «Do you know how to measure?» It's a big challenge. Six children volunteer for the job, five boys and one girl, from 5.5 to 6.2 years old. These children have known each other for more than four years. This is the first time they have ventured together into the world of measuring, and they do not have any particular notions or experience with this subject.
We are convinced that measurement is the best and most useful channel through which the 5-year-olds can approach the world of numerical and mathematical languages.
Our investigation - or "probe" as we call it - involves neither a simulation nor a laboratory experiment, but originates from a problem that the children have made their own.
As teachers, we will attempt to carry out a sort of ethological observation in a school context to look for psychological, cognitive, and educational indications and meanings. In short, we are looking at a piece of life, ours and the children's. We will steer clear of any sort of rigid methodology.
We agree with the group of children that they will work in the mornings for as long as they need to. They will be free to confirm their original decisions

as well as to choose, as they go along, whether to work all together, in smaller groups, or individually. We are curious to see how and to what extent the children will "bond" with the problem.
We will not be in a hurry, and no one will deny the children the time they need for thinking and doing, for finding, creating or changing ideas and applications. The other children in the class will be kept informed about the work as it progresses. Two teachers will be directly involved in the project, one observing and tape recording and the other taking photographs. The role of the teachers will mainly be as resource people for the children, particularly in the moments of revisiting and when loans of knowledge are needed. They will intervene only when the children get bogged down, to help them start up again and make adjustments, devising situations for advancement in the Piagetian sense and identifying the zones of proximal development as per Vygotsky.
The investigation lasts for about ten days, with 40-50 minutes of work time per day.
The complexity of the children's task never daunts them or paralyzes their work. Indeed, the greater the challenge, the more tencious the children become, and moments of serious concentration alternate with moments of playful exploration together, all with the utmost enjoyment.

Loris Malaguzzi
Educator and founder of the early childhood educational experience of Reggio Emilia

Il tema di questa esperienza nasce da una situazione reale: dal desiderio dei bambini di avere nell'aula un tavolo da lavoro in più. Chiamiamo il falegname a scuola e i bambini gli chiedono: *«Ci fai un tavolo uguale a questo?»* «Ci vogliono le misure» dice il falegname. I bambini temono di perdere l'occasione. *«Le facciamo noi»* rispondono. Il falegname e i bambini ci guardano. Anche noi diciamo di sì. È una sfida molto grossa. Il falegname li mette in guardia: «Ma siete capaci di misurare?» *«E tu* – rispondono i bambini – *sei capace di farci il tavolo uguale?»*. Così la sfida parte per davvero.

As we said, the experience originates from a real-life situation: the children's desire to have another work table in their classroom. We call in the carpenter and the children ask him: «Will you make us a table just like this one?» *«I need the measurements,» says the carpenter. The children, afraid of losing an opportunity, reply:* «We'll do them.» *The children and the carpenter look at us, and we say "okay". It's going to be a big challenge. The carpenter immediately puts the children on guard: «Do you know how to make measurements?» Their reply is swift:* «And what about you? Do you really know how to make a table exactly like this one?» *And so the challenge is launched.*

C'è chi dice che è difficile, altri che basta cominciare, che il tavolo ha troppe misure, che ci vogliono i numeri. L'inquietudine, in verità, maschera appena una gran voglia di dar corso all'esperienza.

Some of the children say it's hard, some say that you just have to start, that the table has too many measurements, that you need numbers. The general apprehension, however, only thinly conceals their strong desire to set off on the adventure.

Chi sblocca la situazione è Alan: *«Si conta e si misura con il dito, si mette un dito dopo l'altro, col dito si conta fino a 5 e poi fino a 10».*
L'idea di Alan va nella direzione giusta.
I compagni lo capiscono.

It is Alan who gets things rolling: «You count and you measure with your fingers. You put one finger after the other, you count to five on your other hand and then up to ten.» *Alan's idea is headed in the right direction, and his companions get the idea.*

Mentre la discussione continua Tommaso e Daniela si allontanano improvvisamente.

The discussion continues, and at a certain point Tommaso and Daniela leave the group momentarily.

Ritornano con alcuni fogli quadrettati e dicono:

«Per capire il tavolo bisogna disegnarlo».

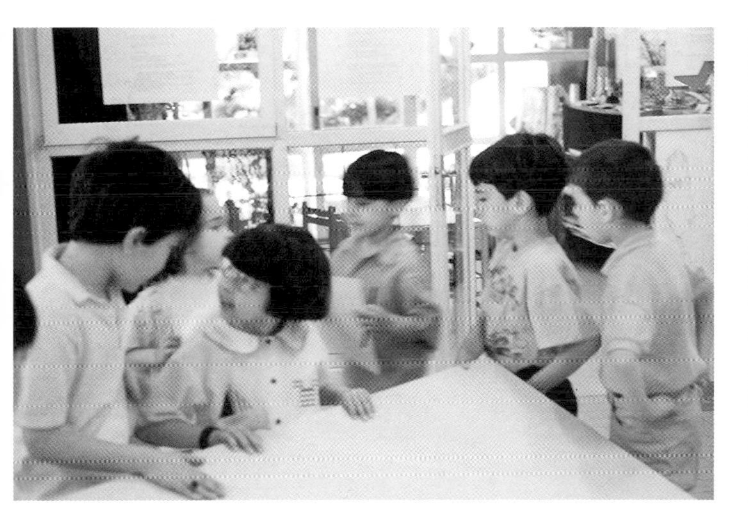

They come back with some sheets of paper, saying:

«We have to draw the table so we can understand it.»

Ecco i disegni di Tommaso e Daniela. I tavoli sono abitati, svolgono la loro funzione, hanno bottiglie, bicchieri, il computer. Si direbbe che Tommaso e Daniela hanno percepito il valore notazionale del disegno, come se il tavolo disegnato servisse a produrre una percezione complessiva dei problemi da affrontare, una centrazione più condivisa delle idee e delle soluzioni in attesa, un mezzo in più per capire e comunicare.

Here are the tables drawn by Tommaso and Daniela. They are "inhabited" tables, carrying out their normal function, holding bottles, glasses, a computer. We could say that Tommaso and Daniela have perceived the notational value of a drawing, as if the table illustrated could provide an overall perception of the problems to be confronted, a more shared focus on the ideas and potential solutions, and an additional means for understanding and communicating.

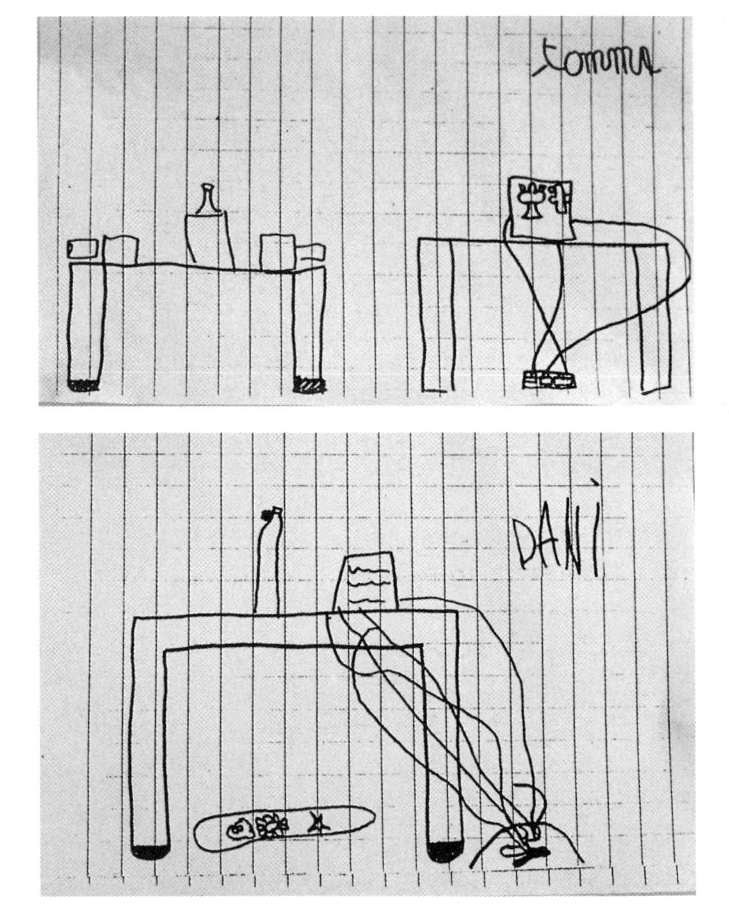

La prima scelta delle insegnanti, suggerita dai disegni dei bambini, è quella di proporre un tavolo da utilizzare come modello, *isolato* dal contesto della sezione, in modo che sia percepito nelle sue forme essenziali. I bambini hanno raccolto l'idea di Alan: *«Si conta e si misura con il dito, si mette un dito dopo l'altro...»*. È il corpo che *presta* gli elementi per misurare: il dito, la mano aperta o a pugno, l'avambraccio,

The first decision made by the teachers, suggested by the children's drawings, is to use an existing table as a model, but situated outside the classroom context so that it is perceived in terms of its essential forms. The children try out Alan's idea: «You count and you measure with your fingers. You put one finger after the other...» *The body can provide you with the elements you need for measuring: fingers, an open hand or a fist, a forearm, ...*

... la gamba,

... a leg,

...perfino la testa, messi in successione in linea retta per congiungere due punti lontani che segnano la misura del tavolo.

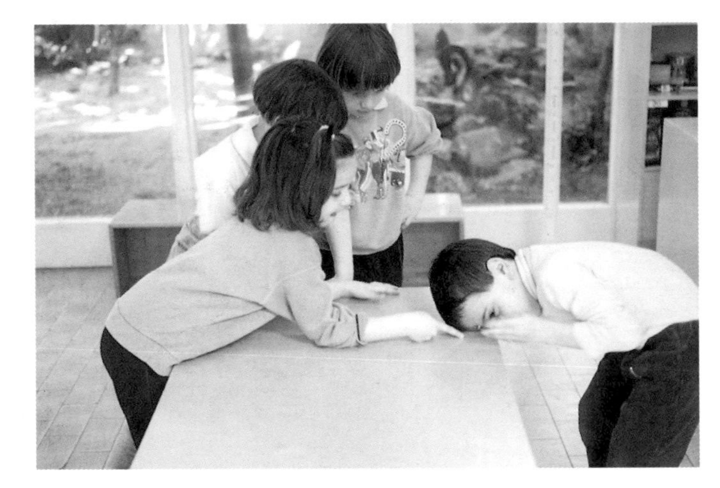

... and even your head, placed successively in a straight line to join two distant points that mark the size of the table.

I bambini non lo sanno ma stanno ripetendo i gesti antichissimi della misura.
Le prime misurazioni che i bambini fanno sono *a occhio* valutando visivamente gli elementi: lungo, meno lungo, più alto, meno alto, ecc. Le misure vengono in qualche modo *incorporate*. Forse è per questo, che quando il problema è quello di comunicarle, è ancora al corpo che si ricorre; le misure vengono *estratte* dal corpo. Sono strumenti immediatamente disponibili e contengono anche una partecipazione divertita.

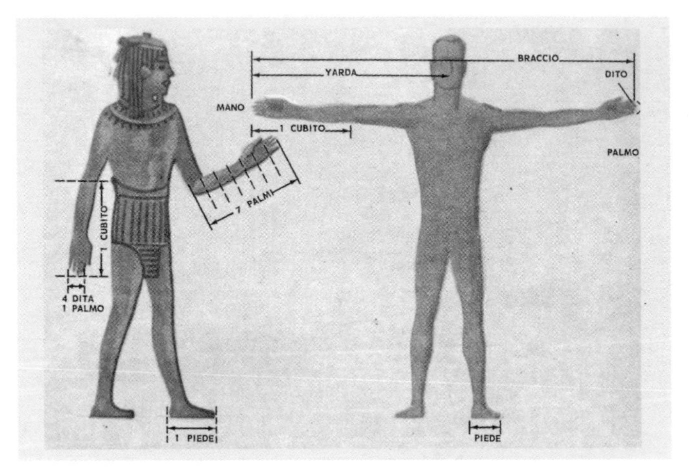

The children are not aware that they are repeating the ancient gestures of measuring. The first measurements they make are by "eyeballing", making visual evaluations of the elements: long, less long, taller, less tall, and so on. Measurements seem to be somehow "absorbed" by the body. Perhaps this explains why we use parts of the body when we need to communicate measurement, as if we could extract them from our bodies. For the children, the parts of the body provide measuring instruments that are not only immediately available but also fun to use.

I bambini hanno scartato il dito, hanno trovato il pugno, hanno scartato il pugno, hanno trovato la spanna e infine sono arrivati alla gamba; pare abbiano scoperto che possono utilizzare una unità più lunga in modo da accorciare economicamente il lavoro.

The children then abandon using fingers, try fists, discard fists, try hand spans and finally arrive at using their legs. They seem to have discovered that a longer unit of measurement will economize the work.

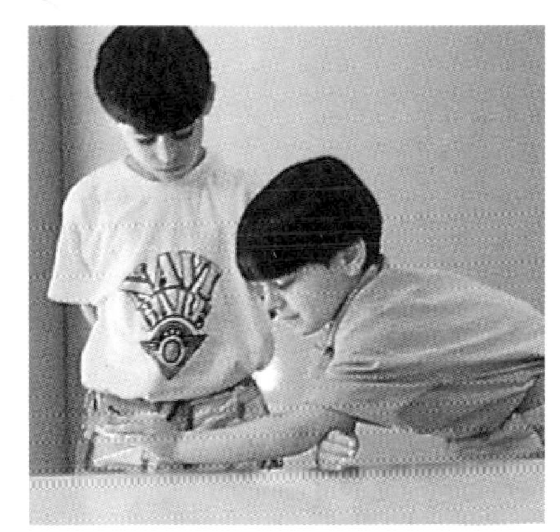

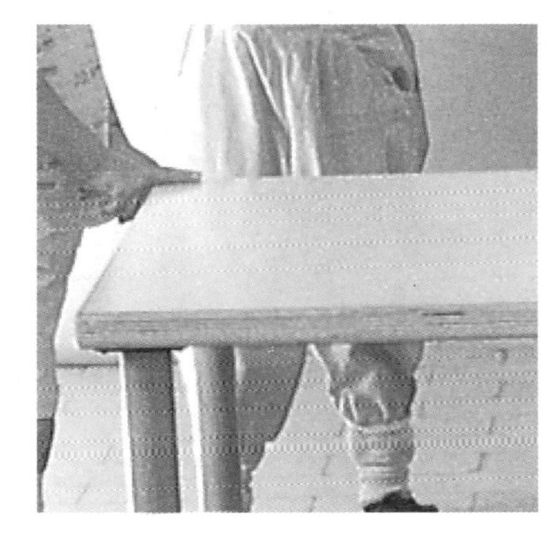

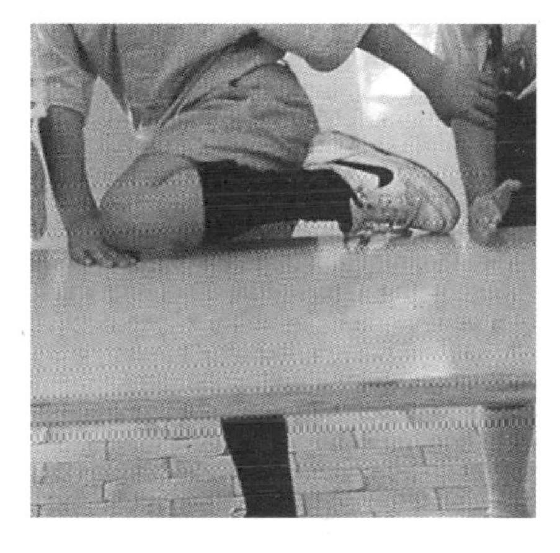

Esauriti gli strumenti corporei i bambini trovano subito altri strumenti di misura.
«Io vado a prendere un mestolo in cucina»,
«Io provo con un libro».
Forse si accorgono che è più agevole maneggiare e utilizzare come campioni oggetti esterni al proprio corpo e che questi possono essere liberamente scelti.
Ad una prima condizione iniziale: che essi siano più piccoli rispetto all'oggetto da misurare, che siano replicabili e contati fino alla copertura dell'oggetto, avvertendo che spesso si tratta di operazioni incerte per difetto o per eccesso. Un processo che richiederà ai bambini in termini più analitici di apprendere: che il prodotto della comparazione (il numero che esprime la misura) dipende dalla grandezza scelta del campione; che dovranno padroneggiare i valori dell'invarianza se vogliono trovare un risultato identico per molte misure della stessa grandezza e di qui la necessità di scegliere un campione sempre più condiviso e convenzionale; che avranno bisogno di passare da scoperte concrete a quelle astratte, ma che spesso saranno le elaborazioni astratte che consentiranno di comprendere e di agire meglio nel concreto; infine è probabile stiano accorgendosi che parlare il linguaggio della misura è la scoperta di un linguaggio per loro nuovo e diverso da quello che utilizzano abitualmente.
Ma si tratta sempre di intuizioni o comprensioni che vanno subito rafforzate.
I bambini sono passati da unità di misura diverse senza ancora produrre una scelta definitiva.

È il momento in cui devono uscire dall'*inghippo* costituito da una mancata scelta nei confronti di una unità di misura; sta iniziando ad apparire in loro la necessità di utilizzare una misura condivisa e utilizzata da tutti.

Come sostenere il processo conoscitivo in corso?

Quello che occorre adesso per aiutarli è paradossalmente farli sprofondare di più nel disordine che ancora hanno: forse può servire spostare da un contesto all'altro il nucleo problematico per fare esplodere le contraddizioni.

When the body parts have been exhausted, the children soon find other types of measuring instruments. «I'm going to the kitchen to get a ladle.» «I'm going to try with a book.»
Perhaps they realize that it is easier to handle and use objects that are extraneous to their bodies, and also that these objects can be chosen freely. The basic conditions are that the measuring tool must be smaller than the object to be measured, that it is replicable and can be counted until the object being measured is completely covered. The children will also realize that using certain objects can make the resulting measurements imprecise, either by defect or excess.
This process will require the children to learn in more analytical terms. They will learn that the product of comparison (the number that expresses the measurement) depends on the size of the instrument chosen for measuring. They must learn to master the value of invariance if they want to find an identical result for many measurements of the same size, and from this arises the need to choose an instrument that is as shareable and conventional as possible. They learn that they will have to pass from concrete to abstract discoveries, but also that it will often be the abstract reasoning that enables them to understand and work better in the concrete realm. And they probably realize that speaking the language of measurement means discovering a new and different language from the one they are accustomed to using.
But intuitions and understandings such as these always need immediate reinforcement.

The children have moved from one unit of measurement to another without yet making a definitive choice. Now is the moment in which they have to overcome the obstacle, and they begin to realize that they need to find a type of measurement that can be shared and used by everyone.

How can we as teachers support the learning that is taking place? Actually, and perhaps paradoxically, what we have to do now is push them further into the disorder that they have created. Maybe this will help to shift the problem from one context to another in order to make the contradictions burst into clarity.

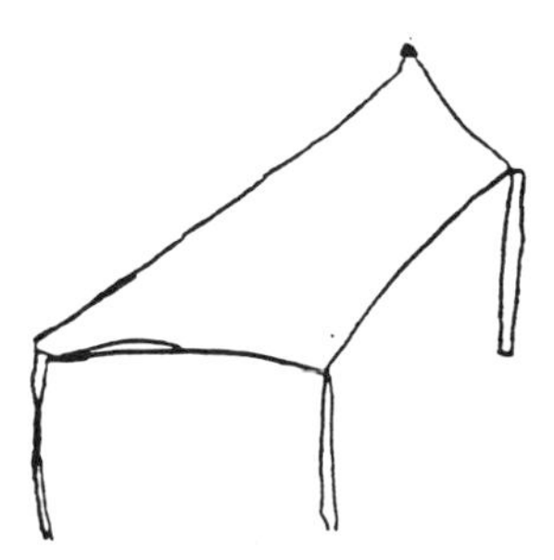

L'insegnante lancia l'idea di prodursi in salti e di provare a misurarli. Come si farà a misurarli?
La risposta dei bambini è: *«Ci vogliono due segni, uno per la partenza e uno per l'arrivo e si misura con i piedi».*

The teacher suggests making long jumps and trying to measure them. «How can you measure your jumps?» The children reply: «You need two marks, one for the start and one for the finish, and you measure with your feet.»

Quello che l'insegnante propone è il trasferimento dalle prove sul tavolo, dove il problema appartiene a una contrattazione ancora abbastanza astratta, a quelle dove il corpo partecipa totalmente.
L'adozione di un *transfert* è una procedura importante, uno spostamento di analogie su un altro piano.
Speriamo che i bambini raccolgano la necessità di avere una misura unica e condivisa.

What the teacher is suggesting is to transfer the investigation from the table, where the problem is still somewhat abstract, to a situation in which the whole body is involved. This type of transference is an important procedure, forcing a shift of analogies to another plane.
We hope that the children will now clearly see the need for a single, shared unit of measurement.

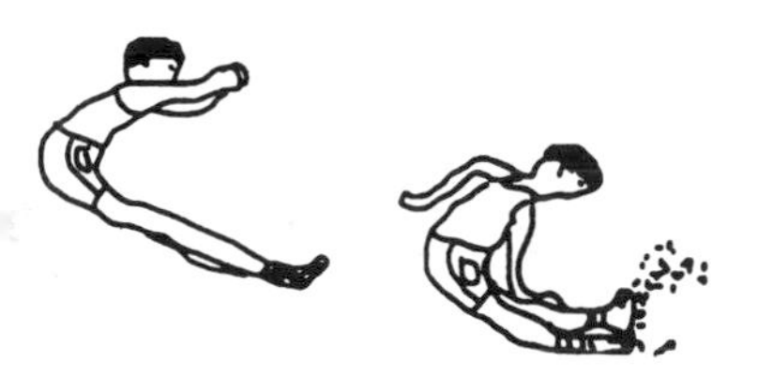

Il primo salto è di Tommaso.
Lo spazio, sorvolato rapidamente, viene reso leggibile e codificabile dai passi di Tommaso che lo ripercorre mettendo un piede dopo l'altro per misurarlo.

È un salto lungo **quattro piedi**.

*Tommaso makes the first jump.
In a quick survey, the space can be read and codified by Tommaso's steps, as he passes over it one foot in front of the other to measure the distance of the jump.*

*His jump is **four "feet"** long.*

Ora lo misurano i piedi dell'insegnante. Il salto di Tommaso è lungo **tre piedi**. Poi è la volta di Marco e Daniela. I salti si fanno più corti ogni volta che li misura l'insegnante. Finché tutti scoprono il trucco.

Now the teacher measures Tommaso's jump with her foot, and it's ***three "feet"****. Marco and Daniela jump next. Every time the teacher measures the jumps, they get shorter. But finally everyone discovers the trick.*

«Il tuo piede è più grande e tiene più spazio», «Noi abbiamo il piede più piccolo».
Ci auguriamo che l'esperienza sia servita a comprendere meglio le ambiguità.

«Your foot is bigger and it takes up more space.»
«We have little feet.»
We hope that this experience has helped the children to better understand the ambiguities.

Le insegnanti si incontrano. Appena possibile fanno delle ricognizioni *a caldo*: le interpretazioni e le ipotesi personali trovano nel confronto spostamenti, nuovi *spessori* e significati.

The teachers meet to discuss the morning's events. Whenever we can, we have these daily reconnaisance meetings while everything is still fresh. In discussing events together, our individual interpretations and hypotheses can be compared and consequently take on new substance and meanings.

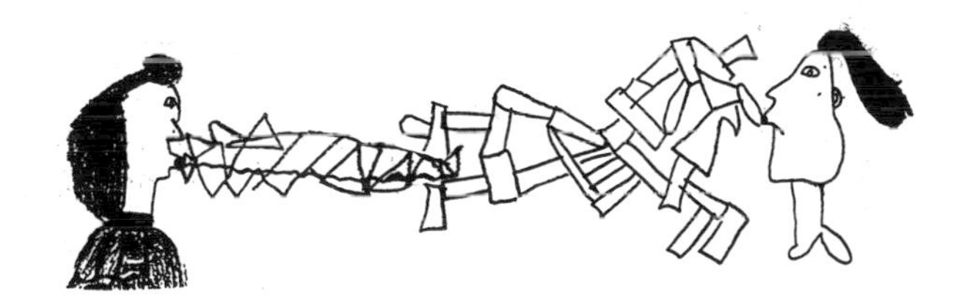

Un incontro degli adulti coi bambini, impegnati nella vicenda, è sempre una ricognizione preziosa ed è una procedura che utilizziamo spesso.
Le strade percorse, ricordate e rinarrate dai bambini, connettono come in una storia algoritmica le loro storie personali e quelle degli eventi affrontati. Rafforzano il significato del loro lavoro, il senso di appartenenza, i valori cooperativi che già segnano il percorso fatto, e spesso sono il luogo dove maturano nuove idee.
Infatti è qui che accade un fatto straordinario quando Pier Luigi, adesso che ha più chiara la situazione, si alza in piedi e annuncia: *«Ascoltate! Perché non prendiamo una corda e misuriamo tutto in una volta sola e la tagliamo quando è arrivata in fondo al tavolo?»*. La proposta sposta letteralmente tutti i pensieri. Ed è tanto eccitante che i bambini dichiarano chiusa la seduta e chiedono di riprendere subito il lavoro.
Molti pensano che i bambini abbiano una linearità di progressione, in realtà sono dei *traditori* improvvisi: questa fuoriuscita dall'autostrada che stanno percorrendo arricchisce di problemi una situazione già ricca di problemi, ma in realtà è una complicazione che serve perché accelera l'avanzamento del lavoro e lo semplifica utilizzando una misurazione globale.
David Hawkins insiste molto su questa "struttura a rete" dei bambini che non seguono un percorso unitario e lineare ma ad albero con molte ramificazioni.

The periodic meetings between the teachers and children working on a particular project are another important moment of revisiting, and we use this procedure continuously. In remembering and telling about what has taken place, the children connect their own personal stories with the events they have experienced, in a sort of algorithmic story. This reinforces the meaning of their work as well as their sense of belonging and the cooperative values that are already part of the experience. These meetings also frequently become a catalyst for new ideas.
This is precisely what happens in our story when Pier Luigi, who now has a clearer idea of the situation, stands up and says: «Listen! Why don't we get a string and measure the whole thing at one time and then cut it when we get to the end of the table?» *His suggestion shifts all the children's thinking, and the idea is so exciting that they adjourn the meeting swiftly and go straight back to work.*
It is believed by many that children follow a linear progression in their learning, but actually they often and unexpectedly "betray" our adult expectations. In this instance, their going slightly off track adds new problems to a situation that is already full of problems. But in the end, the complication accelerates the advancement of their work and simplifies it with the use of a global rather than partial measurement.
David Hawkins has underscored this network type structure in the processes of children, who do not follow a single and linear path but something more like a tree with many branches.

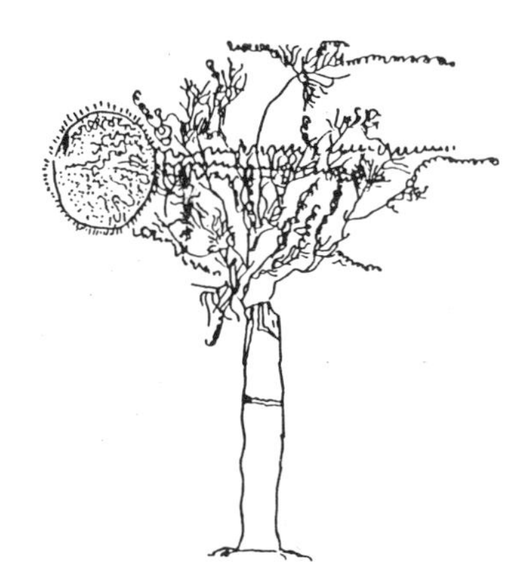

La corda è già al lavoro. I bambini la tendono ancora maldestramente ma hanno capito i vantaggi del metodo. La tagliano nel senso della larghezza e della lunghezza del tavolo. Hanno così due corde. Dice Alan: *«La corda più lunga è quella della lunghezza»*. Daniela aggiunge: *«E la corda corta è quella della cortezza»*. Ci vorrà qualche tempo, prima che il termine di "cortezza" inventato da Daniela sia sostituito da quello più corretto e usuale di larghezza. A questo punto i bambini potrebbero in sede congetturale continuare a misurare tutte le parti del tavolo con la corda e consegnare tutte le corde al falegname. Se non lo fanno è possibile pensare che la cosa non li accontenti. Probabilmente sentono di dover trasferire delle misure numeriche, di utilizzare il numero, ma come?

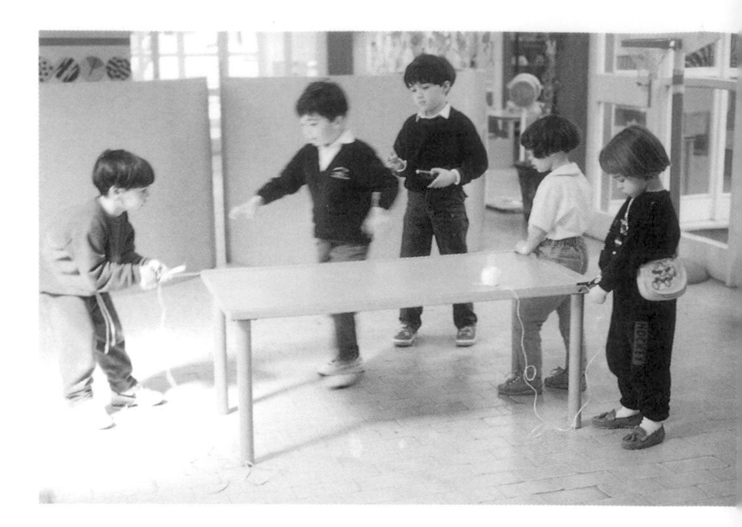

Il metro di cui conoscono l'esistenza (a scuola ve ne sono alcuni riposti su uno scaffale) pare ancora lontano da ogni evocazione. Ci possiamo chiedere perché. Probabilmente tutti i bambini sanno che il metro serve a misurare ma è uno strumento ancora lontano dalla loro esperienza; in una situazione reale come questa il corpo e gli oggetti paiono forse più concreti e affidabili del metro.

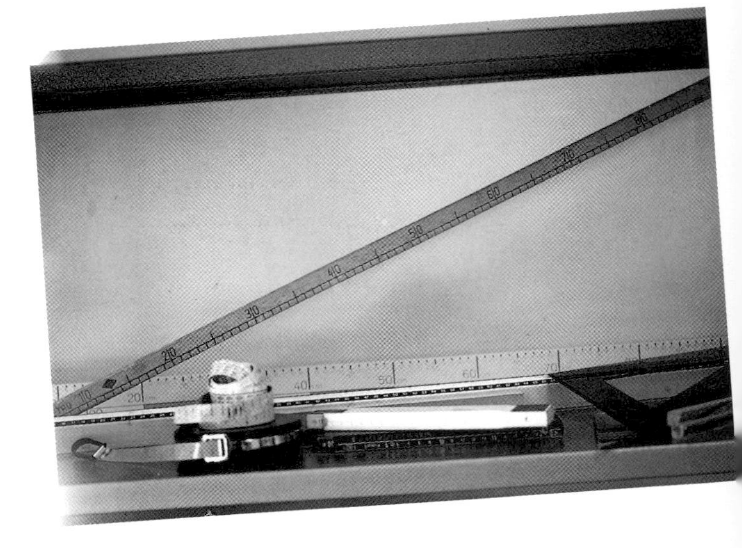

The string is now in operation. The children are still somewhat awkward in keeping it taut, but they have certainly understood the advantage of the method. They cut pieces for the length and width of the table, so now they have two strings. Alan says: «The long one is the one for the length.» *Daniela adds:* «And the short one is for the shortness.» *It will take some time before the term "shortness" invented by Daniela is replaced with the more correct and conventional term "width".*
At this point, the children could possibly continue to measure all the parts of the table using the string and give all the pieces of string to the carpenter. If they do not, we could surmise that they are not perfectly happy with this system. They probably feel that they need to give him numerical measurements, to use numbers. But how?

Though the children know about measuring instruments (various types are located on shelves around the school), a direct evocation still seems to be far off. We could ask ourselves why this is so. All the children probably know the function of these instruments, but perhaps they have not had direct experience in using them. In a real situation like this, the parts of the body and other objects may seem more concrete and manageable than any standard measuring instrument.

Vediamo Daniela riproporre la conta con il dito, questa volta sulla corda.
Pronuncia ad alta voce spostando il dito: *«1, 2, 3, 4...»* mentre Tommaso scandisce i numeri con le dita. Ma poi si fermano e confabulano. Daniela dice: *«Ci vuole la carta per scrivere i numeri!».*
Crediamo abbiano avvertito che stavano mettendo insieme solo dei numeri, solo delle parole, solo dei suoni e dei segni sulla corda.

Here Daniela suggests once again counting with fingers, this time on the string. She pronounces «1, 2, 3, 4 ...» *out loud while Tommaso counts out the numbers on his fingers. Then they stop and confer. Daniela says:* «You have to have paper to write the numbers!» *We think they have sensed that they were putting together only numbers, only words, only sounds and marks on the string.*

Tommaso e Daniela si allontanano... e ritornano con strisce di carta,

Tommaso and Daniela go away for a moment, and then come back with strips of paper...

... che affiancano alla corda. E adesso?

... that they put alongside the string. And now?

Daniela comincia a scrivere 1 2 3 4 ...
È la prima volta dall'inizio della loro ricerca che utilizzano la scrittura dei numeri per dare *valore* alla misura.

Daniela begins to write 1 2 3 4 ...
It is the first time since the children's work began that they have written the numbers down to give a value to the measurement.

Si ferma di scrivere e dice: *«Sono infiniti i numeri, non riusciamo a scriverli tutti !».*
Daniela trascende il momento contingente con una affermazione che rientra nella filosofia del numero.

Daniela stops writing and says: «Numbers go on forever! We can't write them all!»
Here she transcends the situation at hand with an affirmation that belongs to the philosophy of number.

Tommaso commenta: *«Sai perché non è giusto? I numeri devono avere delle righine tra loro».*
Forse evoca gli intervalli che sul metro distanziano i numeri uno dall'altro.

Tommaso comments: «You know why it's not right? The numbers have to have little lines between them.» *Perhaps he is thinking of the intervals that separate the numbers from each other on standard measuring instruments.*

Daniela: *«Allora facciamo il metro».*
Il gioco che nasce tra Tommaso e Daniela è quello del ping-pong: ciò che dice uno viene raccolto e portato più avanti dall'altro.

Daniela: «So let's make a measuring stick!»
It becomes a sort of ping-pong match between Daniela and Tommaso: what one of them says is picked up and developed by the other.

Daniela riscrive i numeri separandoli con una riga. La suddivisione ripartita e cadenzata è un passaggio importante e una grande scoperta che i bambini fanno, perché sta ad indicare che tra un numero e l'altro e l'altro... e l'altro c'è una equidistanza di valore.

Daniela writes the numbers again, separating them with lines.
This cadenced subdivision is an important passage and a great discovery that the children make, because it shows that there is an equidistance of value between one number and another.

La proposta di fare il metro piace a tutti i bambini che hanno assistito al duetto tra Tommaso e Daniela. Al solito gruppo si aggiungono interessati altri bambini della sezione. Ognuno prende una striscia di carta e costruisce il metro a modo suo.

Nascono così metri di lunghezza soggettiva e arbitraria, tutti però contrassegnati da numeri in progressione spesso corretti.

Passano poi a misurare il tavolo ognuno con il proprio metro, mentre a Tommaso e Daniela viene affidato dal gruppo il compito di annotare su carta tutte le misure.
L'annotazione grafica appartiene alle abitudini di questi bambini anche in altri ambiti di esperienza; in questo momento consente loro una sintesi evidente delle differenze numeriche.

The idea of making a measuring stick is well-received by the other children who have watched Tommaso and Daniela's duet. Each of them takes a strip of paper and constructs his own.

So "meters" of subjective and arbitrary lengths are created, but all of them are marked with numbers in progression, and several quite precisely.

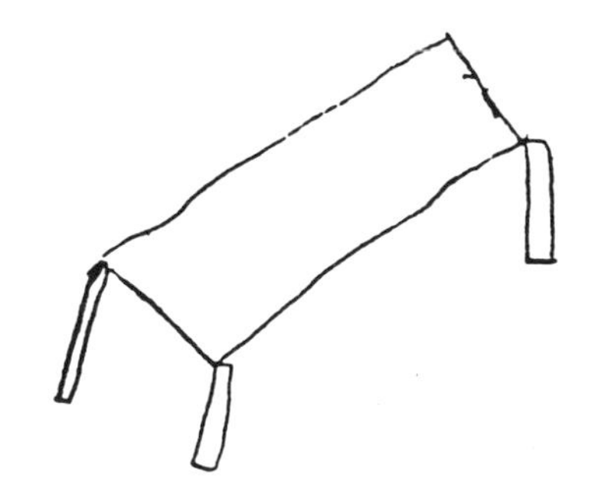

The children then go back to measure the table, each using his or her own "meter", and the group assigns Tommaso and Daniela the task of writing down the measurements on paper. These children are used to making graphic annotations in various types of experiences. In this case, it provides a synthesis of the numerical differences.

Infatti a questo punto scoppia lo scandalo: il tavolo misura 78, 41, 20, 23, 44...
I bambini misurano entrambe le parti (lunghezza e "cortezza") ma solo chi ha il metro più lungo azzarda la misura più lunga.
È evidente che i bambini non hanno fatto il metro ma 'un' metro; non passa perciò ancora la nostra ipotesi di arrivare a una dimensione univoca. La stessa parola metro che tutti utilizzano in realtà è una misura di carattere soggettivo.

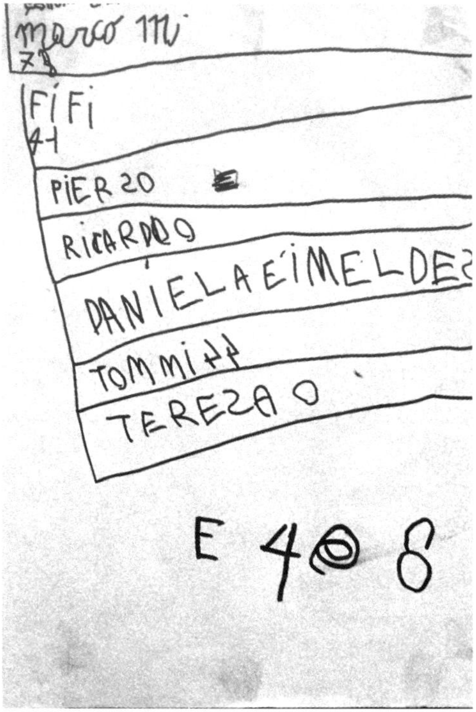

C'è una grande confusione accompagnata da grandissime risate. Cosa si fa?

Here, in fact, the scandal explodes. The table measures 78, 41, 20, 23, 44...
The children measure both parts (length and width), but only those with the longest measuring sticks venture to measure the longest part.
It is clear that they have not made "the" meter but "a" meter, *so our prediction that they would arrive at a unitary dimension has still not been verified. The word "meter" itself, which they are all using by now, is still a subjective measurement.*

78

41

20

23

44

The general commotion is followed by uproarious laughter. What do we do now?

0

408

L'insegnante suggerisce di allineare tutti i metri a terra per rendere più evidente la loro difformità, sperando di provocare uno scioglimento del problema.

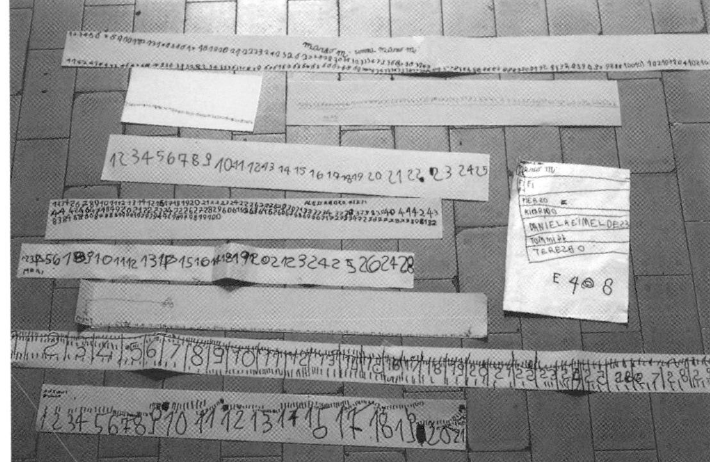

The teacher suggests that they line up all their measuring sticks on the floor...

... to make the discrepancy clearer, hoping to catalyze a resolution of the problem.

In effetti questo avviene quando Riccardo e Marco si mettono a gridare:

«Bisogna scegliere il metro giusto. *Sì, quello con i numeri giusti»*. Ma quale? I due bambini vogliono forse dire che occorre sceglierne uno e uno solo? Oppure pensano che il metro giusto è quello che allinea i numeri progressivamente esatti? Probabilmente i bambini non hanno ancora la dimensione del metro come misura convenzionale che possa essere adottata da tutti.
Sarà interessante dare un'occhiata a come hanno costruito i metri individuali.

In fact, we see that the resolution is near when Riccardo and Marco begin to shout:

«We have to pick the right meter. The one with the right numbers!» *But which one? Do they mean that they have to choose one and only one? Or do they think that the right meter is the one that aligns the numbers in an exact progression? Perhaps they still do not think of the meter as a conventional unit of measure that can be used by all.
It could be interesting to see how the children actually constructed their individual meter sticks.*

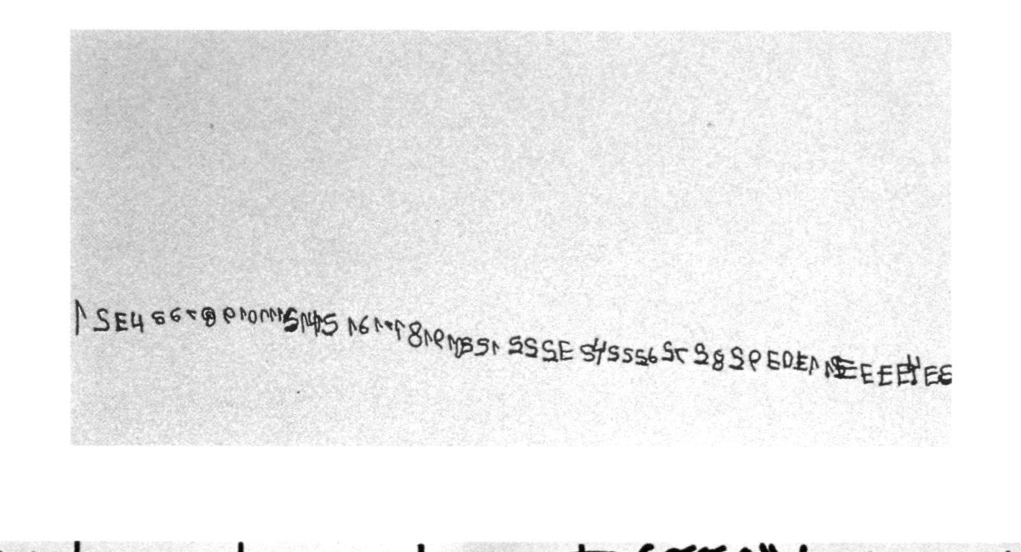

C'è Riccardo che inventa una "e", congiunzione tra un numero e l'altro: 1 e 2 e 3 e 4 e 5 e... ottenendo così una configurazione unitaria orizzontale piuttosto straordinaria. Daniela ha prodotto una soluzione più avanzata avvicinandosi sempre più al *buon metro*: tra un numero e l'altro interpone dei trattini uguali rinforzando così l'equivalenza delle distanze e dei valori tra i numeri.

Riccardo uses an "e" ("and" in Italian) as a conjunction between one number and the next: 1 e 2 e 3 e 4 e 5... thus obtaining a unitary horizontal configuration that is quite extraordinary. Daniela produces an even more advanced solution, getting closer to the "good meter". She puts an equal number of lines between the numbers, which reinforces the equivalence of distance and value between one number and the next.

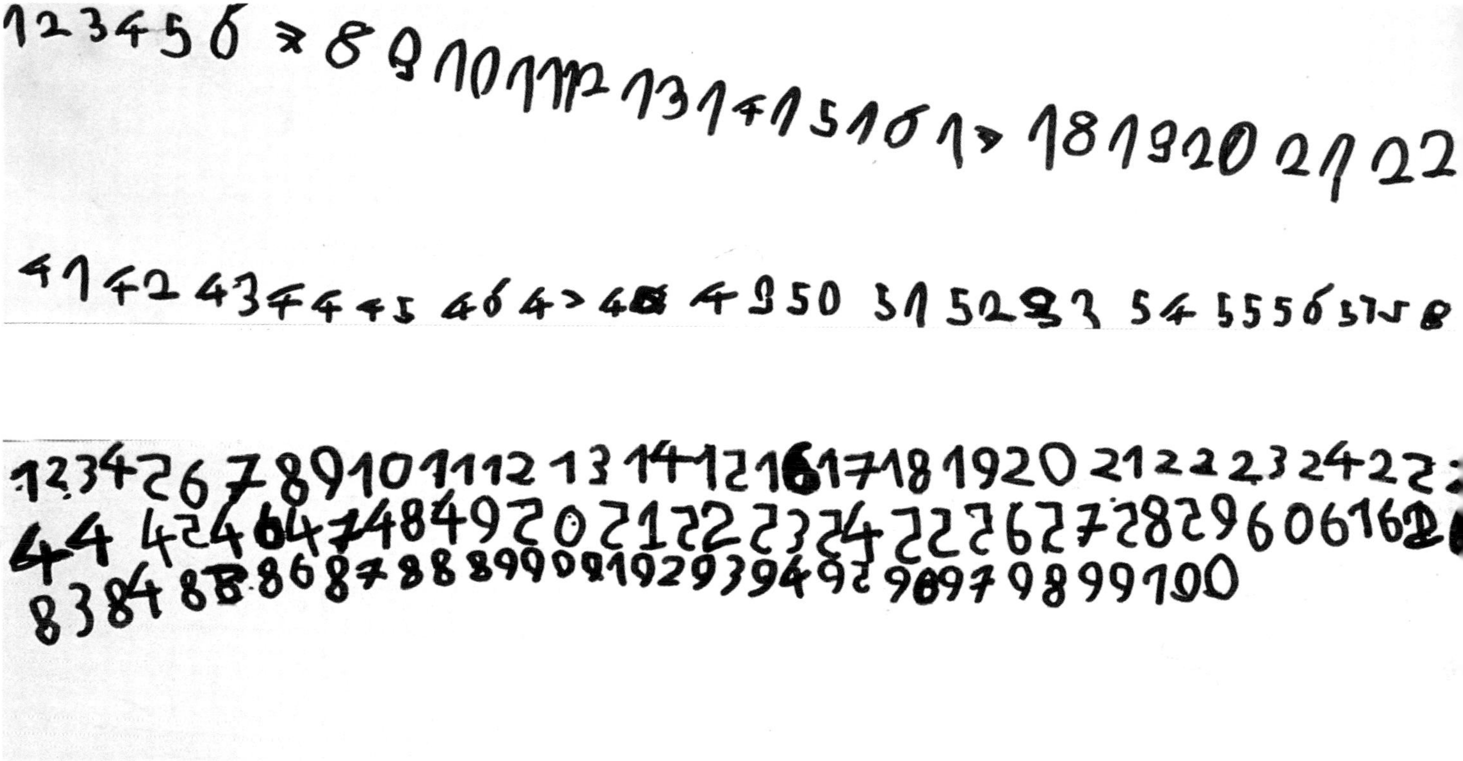

Altri vengono sedotti dalla potenza numerica: Marco scrive tutti i numeri che conosce fino al numero 114; Alessandro scrive i numeri in successione perfetta e si ferma al numero 100.

Others in the group are seduced by numerical power. Marco writes all the numbers he knows up to 114. Alessandro writes the numbers in perfect sequence and stops at 100.

FRANCESCO

1 2 3 4 5 6 7 8 9 10 11 12 13 14 15 16 17 18 19 20 21 22

PIERLUIGI
PICILLO

1 2 3 4 5 6 7 8 9 10 11

Francesco sulla fila dei numeri, intervallati sempre da 4 righette, disegna una bicicletta come a sottolineare la loro direzione ascendente; Pier Luigi scrive le cifre rafforzandole con accenti che ne segnano le rispettive quantità di valore numerico. La percezione esatta del metro è ancora lontana. E tuttavia in ogni prodotto ci sono tracce personali di abilità e spesso di attribuzioni che mostrano un promettente inoltro nelle regole e nei significati del mondo numerico e della misura. Ma le rotte dei bambini sono almeno apparentemente, imprevedibili. Non seguono sempre linearità e coerenze: né di azioni, né di pensieri.
Costruiscono, perdono, deviano o sotterrano temporaneamente schemi, astrazioni, strategie. Lavorando con loro occorre sempre stare al gioco della sorpresa. Qui hanno fatto una gran scorpacciata di numeri... quindi se noi dovessimo scommettere sul proseguimento diremmo che è incombente l'apparizione del metro.

On his line of numbers, all separated by four short lines, Francesco draws a bicycle as if to show the ascending direction. Pier Luigi writes the figures with marks over them to show their respective numerical values.
The exact perception of the standard measure is still distant. Nonetheless, each product shows personal traces of abilities and understandings that indicate a promising transition into the rules and meanings of the world of numbers and measurement. But children's routes are often unpredictable, at least to us. They do not always follow a linear and consistent path, in either action or thought.
They construct, lose, detour, or temporarily abandon their schemas, abstractions, and strategies.
We adults have to be prepared for surprises. Here the children have made a big "feast" of numbers, so if we had to wager on the next step, we would say that the appearance of the standard meter is imminent.

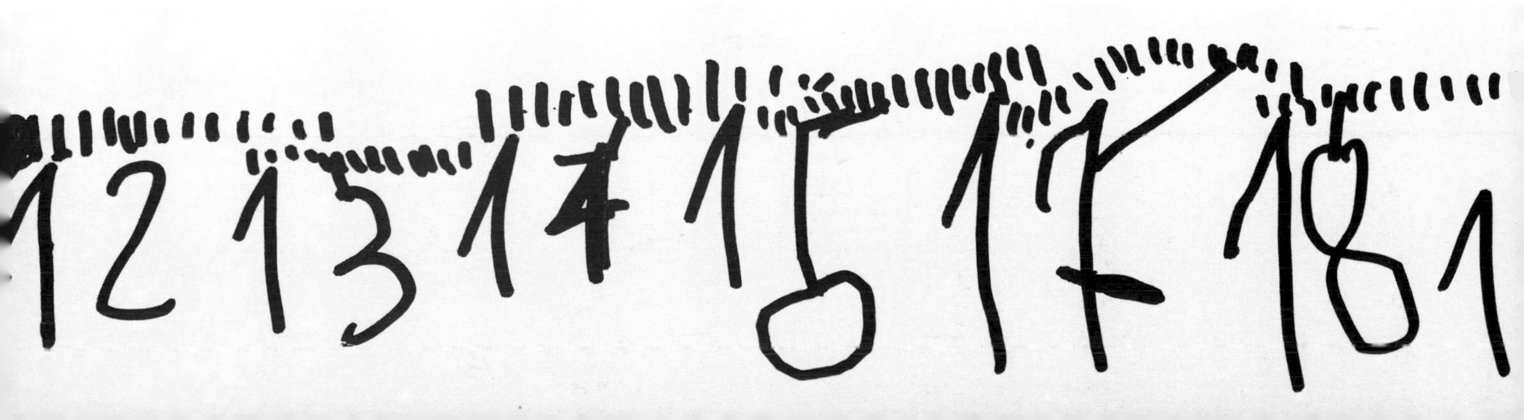

Così apparirà strano questo ritorno a misurare il tavolo con un oggetto.
Ma la proposta di Tommaso è davvero dirompente e spettacolare: *«Sapete cosa facciamo? Misuriamo il tavolo con la mia scarpa!»*. Forse è l'allegria, la trasgressione che hanno la meglio, forse è il desiderio o il bisogno di maneggiare oggetti e situazioni concrete, di ritornare ad un protagonismo diretto, non mediato da processi di pensiero troppo astratti.

I bambini distendono una lunga striscia di carta sul piano del tavolo e la percorrono con la scarpa. Hanno forse memoria dell'utilizzo precedente? Prevedono già delle scritture che dovrà contenere? È Tommaso che guida l'operazione.

La lunghezza del tavolo è pari a **sei scarpe e mezzo**. C'è qualcuno che dubita?

This is why it seems strange to us when they return to measuring the table using an object. At the same time, the proposal made by Tommaso is certainly spectacular and bursting with possibilities: «I know what we can do! Let's measure the table with my shoe!» *Perhaps it's the sense of amusement and transgression that takes over, or the children's desire or need to work with concrete objects and situations, to return to a sense of being in charge without the interference of overly abstract thought processes.*

The children lay a long strip of paper on the table-top and then go over it with the shoe. Are they remembering how they used paper before? Are they already foreseeing the need for something to write on?
Tommaso guides the operation.

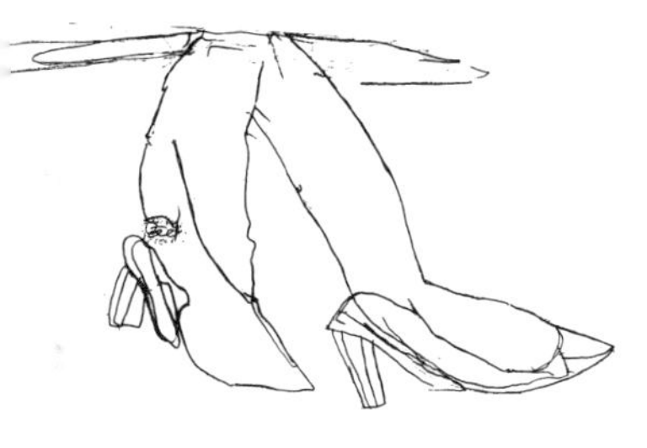

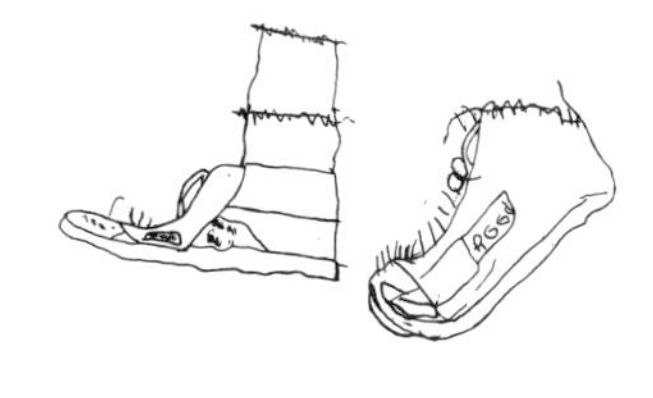

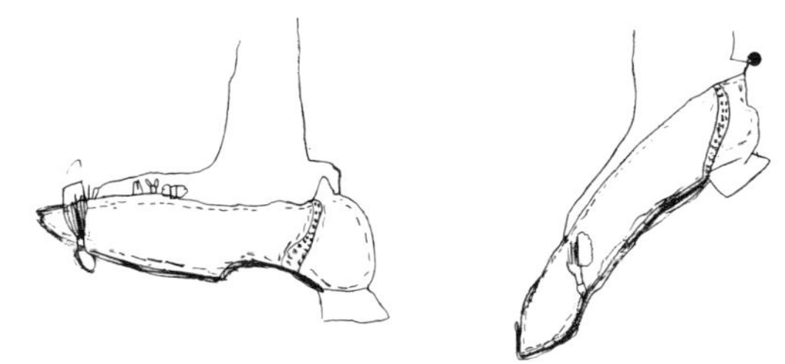

The length of the table turns out to be ***six and a half*** *shoes. Does anyone have any doubts?*

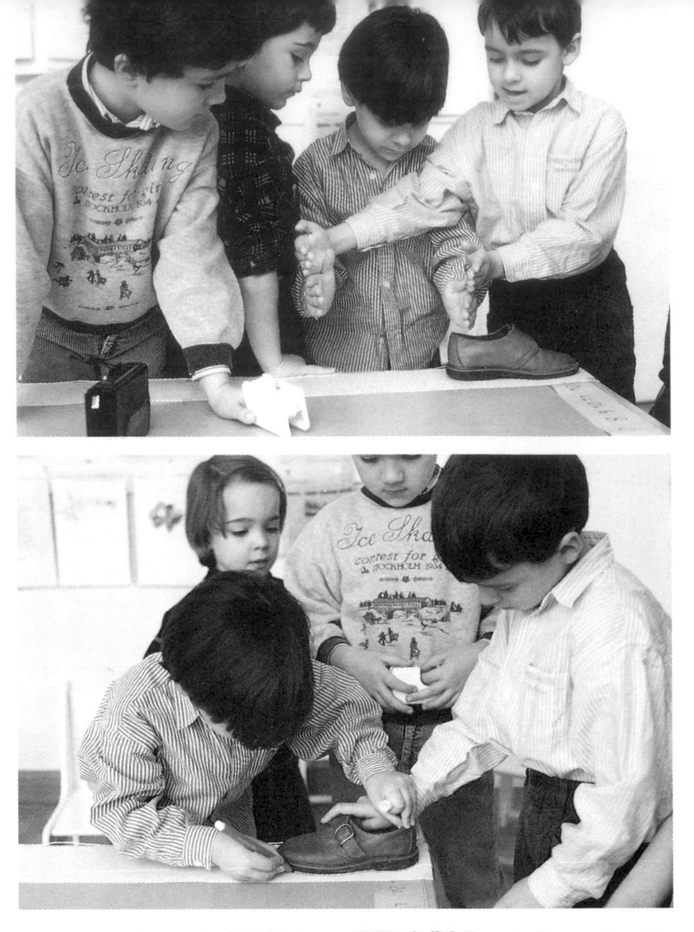

Tommaso si accorge che gli amici sono un po' stupiti, quasi increduli di fronte al risultato, quindi ripercorre all'indietro con la scarpa la lunghezza del tavolo confermando la reversibilità della misurazione: **sei scarpe e mezzo**.
Marco rafforza l'unità di misura trovata cercando una corrispondenza tra le sue mani e la lunghezza della scarpa moltiplicabile sul piano del tavolo e propone: *«È sempre uguale, la scarpa è sempre uguale! Bisogna dirlo al falegname, dobbiamo scrivere questa misura!»*.

Ecco le impronte con il pennarello, tutto è più chiaro. La grafica in questo momento ha un ruolo "maggiorante" per fare avanzare e rafforzare il pensiero del bambino e la comunicabilità della misurazione.

Continuano a fare confronti, riprove, controprove: la misura della scarpa, delle impronte, dello spazio lasciato tra le mani.
Marco: *«Adesso la cosa più facile è dare la scarpa al falegname!»,* Tommaso: *«Ma come faccio io? dopo non ce l'ho più!!»*. Con lo stesso sistema Tommaso misura la "cortezza" che è di **3 scarpe**.
Adesso il rettangolo del tavolo è tutto misurato:
6 scarpe e mezzo per 3 scarpe.
Il protagonismo di Tommaso pare promettere altre sorprese. Ciò che è visibile è l'accresciuta tensione di tutti i bambini accompagnata da un'effusione di felicità liberatoria per essere arrivati finalmente ad un approdo.

Tommaso realizes that his friends are surprised, almost incredulous at the results, so he turns the shoe around and measures again, with the same result: ***six and a half shoes.***
Marco reinforces the newly found unit of measurement by looking for a correspondence between his hands and the length of the shoe that can be multiplied on the table-top. He comments: «It's always the same - the shoe is always the same! We have to tell the carpenter! We have to write down this measurement!»

Here are the shoe outlines made with a felt-tip pen. Now everything is clearer. In this moment, the graphic element advances and reinforces the children's thinking and the communicability of the measurement.

They continue to make comparisons between the measurement of the shoe, the traced outline, and the space left between the hands.
Marco says: «The easiest thing to do now is give the shoe to the carpenter!» *Tommaso:* «But what about me? Then I won't have my shoe anymore!» *Using the same system, Tommaso measures the width, which turns out to be* ***3 shoes****. Now the rectangle of the table-top has all been measured: it is* ***six and a half shoes by three shoes****.*
Tommaso's leading role seems to promise further surprises. The excitement is growing, and the children's joy at having finally reached a destination is evident.

Ciò che le insegnanti suggeriscono è di compilare insieme un grafico che riassume l'ultimo avvenimento: due rettangoli, i piani del tavolo - due perché così li vogliono i bambini - con le misure di lunghezza e di "cortezza". Il grafico ha la finalità di sottolineare ai bambini un'immagine conclusa della loro ultima fatica che grazie alla scarpa, e per la prima volta, ha costruito una misurazione compiuta. Un punto d'arrivo importante, importante soprattutto perché utilizzabile e comunicabile.
Il suggerimento delle insegnanti è un prestito di chiarezza ai bambini; prestito che deve essere fatto sulla base di una *garanzia di ritorno* con l'avanzamento della conoscenza del bambino, altrimenti potrebbe costituire una eccedenza di trasmissione di un sapere adulto, non in sintonia con la ricerca e le procedure che stanno elaborando i bambini.
Sono ancora in corso i festeggiamenti per il grafico quando Tommaso dà un'altra spallata all'impresa:

«E se adesso provassimo a cercare un metro!». Il metro!? C'è qualche esitazione in giro, qualcuno dice di andare avanti con la scarpa. Ma è solo un attimo. L'idea di infilarsi in un'altra avventura è sempre per i bambini una grande seduzione.

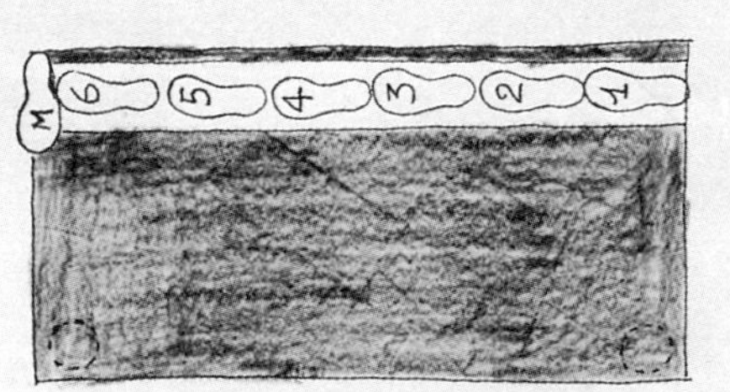

At this point, the teachers suggest that they work together to make a graphic representation of the latest event: two rectangles representing the table-top (two because the children want two) showing the length and width. The purpose of this is to give the children a clear picture of their work which, for the first time and thanks to the shoe, has provided a complete measurement. It is an important point of arrival, especially because the measurement can be repeated and communicated.
The teachers' suggestion lends clarity to the situation. This type of loan should always be made based on a guarantee of results in terms of the advancement of the children's knowledge; otherwise it becomes more of a transmission of adult knowledge that is not in tune with the children's research and the procedures they are working out for themselves.
The children are still celebrating the result when Tommaso gives another push to the endeavor:
«Why don't we look for a real meter stick now?» The meter at last! There is a moment of hesitation and some of the children suggest going ahead with the shoe, but they soon accept Tommaso's proposal. Children are always easily seduced by the idea of setting off on yet another adventure.

«Andiamo a cercarlo!». Tommaso è il più svelto. Ricorda lo scaffale dove sono riposti i metri, ne prende uno di legno pieghevole ed è già di ritorno. Riteniamo che tutti i bambini conoscano il metro almeno di nome. Come funziona e come usarlo, è ciò che si vedrà. La decisione è clamorosa. Nessuno saprà mai bene come essa sia uscita. Da una germinazione alimentata dai trafficamenti e *tatonnements*? Da una improvvisa ricomposizione di quella specie di conflitto tra gli strumenti arbitrari di misura, i numeri, i metri ineguali di carta? Dai limiti - nonostante tutto - del gioco misurante della scarpa? Da una spinta suggerita dal grafico? Da una sintesi logica e deduttiva delle risultanze operazionali via via accumulate? E quanta solidità concettuale la scoperta di Tommaso porta con sè?

Domande solo possibili, risposte solo probabili. Il fatto è che l'agire e il cercare dei bambini sembrano avere aperto nuove svolte procedurali e un avvicinamento all'appropriazione della nozione di grandezza di misura e del ruolo del numero nella misura. E, insieme forse, l'intuizione di affidarsi ad una unità di misura convenzionale come il metro, un oggetto presumibilmente già visto funzionare in qualche luogo.

«Let's go find it!» *Tommaso is the quickest. He remembers the shelves where the measuring instruments are placed, and he's back in a flash with a folding meter stick. We assume that the children are somewhat familiar with measuring sticks, at least by name, but we will wait to see what they know about how to use them. In any case, it's a clamorous decision. We will never know exactly how it came about.*

Did it grow from a seed nourished by all the children's hustle and bustle? From a sudden recomposition of the conflict between arbitrary measuring instruments, numbers, and the unequal paper meters? From the limits - despite all the fun - of the measuring game with the shoe? From a stimulus provided by the drawing? From a logical and deductive synthesis of the operational results accumulated along the way? And how solid is Tommaso's discovery in conceptual terms?

These are only possible questions, with only probable answers. The fact is that the children's actions and investigations seem to have opened the way to new procedural methods and an appropriation of the notion of size, measurement, and the role of number in measuring. And also, perhaps, there is an intuition of the need to make use of a conventional unit of measurement like the meter stick, an object that the children have presumably seen used elsewhere.

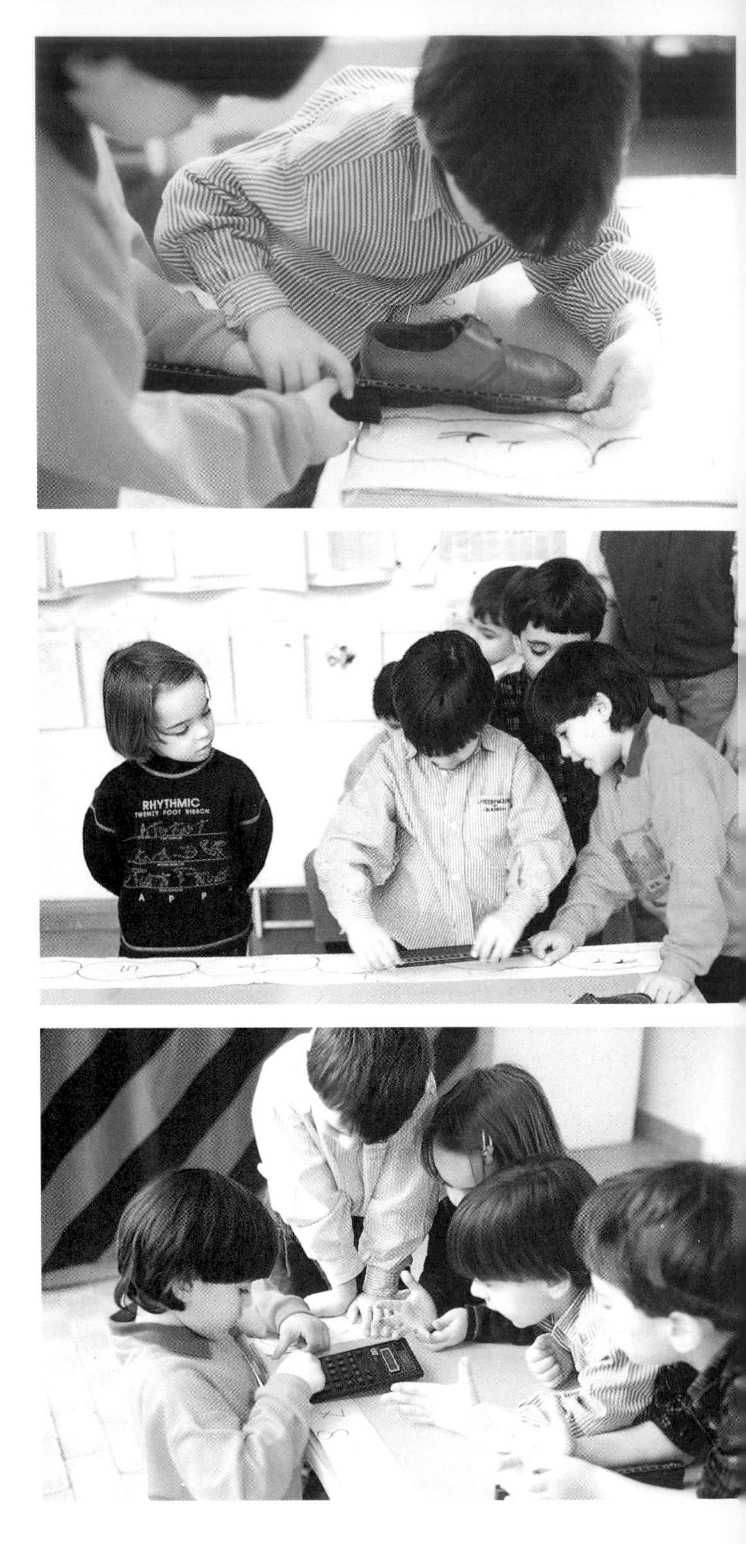

Anche se continua il protagonismo di Tommaso in effetti l'azione dei bambini è corale.
Tommaso misura prima l'impronta poi la scarpa e a voce alta scandisce: *«**20!**»*. È il numero che sul metro coincide con la loro dimensione.

Ha anche fortuna poiché, ripiegando il metro arriva per caso al segmento dei 20 centimetri. Il 20 è la misura esatta della scarpa e dell'impronta.
Avanza sull'impronta e il metro segna ancora 20.
I compagni ridono : *«È sempre 20!»*.
Pier Luigi aggiunge: *«20 più 20 più 20»*.
Daniela dice che bisogna mettere tutto insieme.
Tommaso riassume: *«C'è **20 più 20 più 20 più 20 più 20 più 20 e poi c'è un pezzettino che è meno di 20**»*. Lo spazio viene interpretato come una somma di sottomultipli: è come se i bambini stessero per capire che la lunghezza del tavolo è sostanzialmente la somma di misure parziali che messe insieme danno una misura totale.

Pier Luigi consiglia: *«Prendiamo la calcolatrice»*, Marco detta e Pier Luigi batte sui tasti: *«20 + 20 + 20 + 20 + 20 + 20...* (da dove sia uscito il segno dell'addizione non lo sappiamo, ma pare utilizzato con condivisa disinvoltura).

Though Tommaso is still the protagonist, the children continue to work collectively. Tommaso measures the shoe and the outline, and announces: «**20!**», *which is the number that coincides with their size.*

He also gets lucky, as he arrives by chance at the segment of 20 centimeters when he folds the meter stick, and 20 is the exact measurement of the shoe and its outline. He moves along the outlines one by one, and the meter stick always shows 20. His companions laugh: «It's always 20!» *Pier Luigi adds:* «20 + 20 + 20.» *Daniela says that they have to put everything together. Tommaso summarizes:* «There's **20 + 20 + 20 + 20 + 20 + 20, and then there's a little piece that's less than 20**.»
The space is interpreted as a sum of submultiples. It seems that the children are about to understand that the length of the table is substantially the sum of partial measurements which, when added togther, give a total measurement.

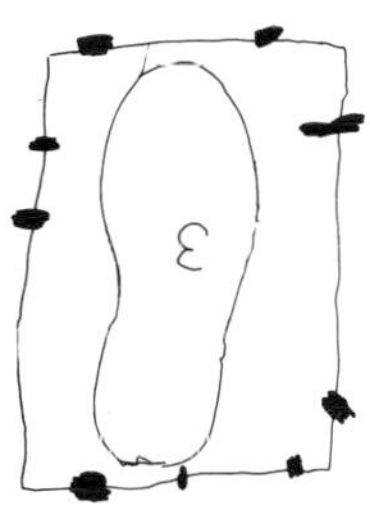

Pier Luigi suggests: «Let's get the calculator.» *He presses the keys while Marco dictates:* «20 + 20 + 20 + 20 + 20 + 20... *(We don't know how they knew about the "plus" sign, but they seem to use it with no problem.)*

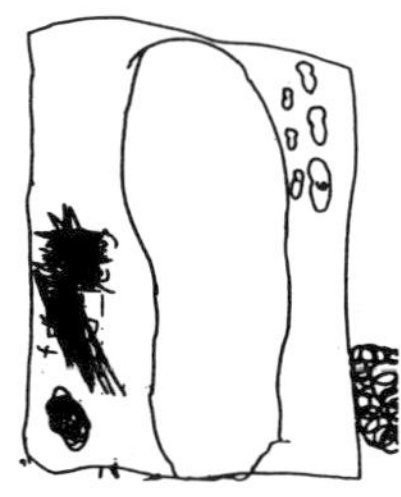

... *che fa 120»*. Alan aggiunge: *«Ci manca il pezzettino che aveva visto Tommaso»*.

... that makes 120.» *Alan adds:* «But we left out the little piece that Tommaso saw.»

Tommaso: *«Sì, manca il pezzettino»* e scrive sul foglio **125**.
«Va bene» dicono i compagni.
Riccardo: *«Adesso ci siamo. Possiamo dire 125 al falegname»*.

Tommaso: «Yeah, there's the little piece too,» *and he writes **125** on the paper.*
«Okay,» *say his companions.*
Riccardo: «Now we got it. We can say 125 to the carpenter.»

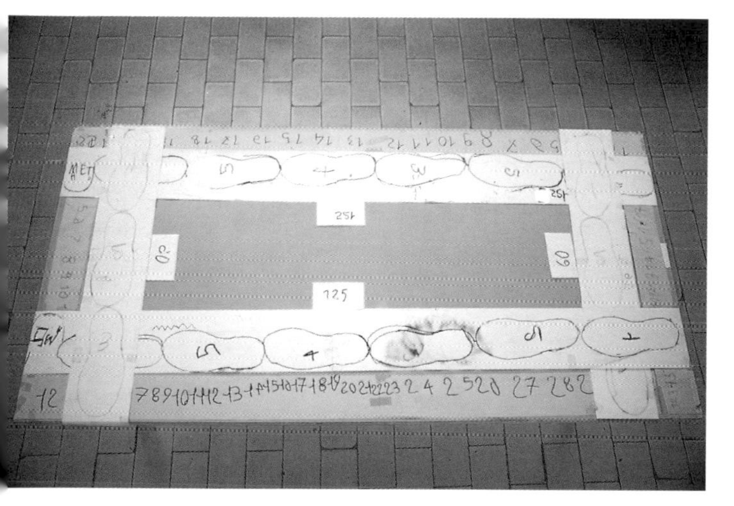

Poi calcolano la "cortezza" di tre scarpe: tre volte 20 e il tutto fa **60**.

Comunque sia, pare inoppugnabile la qualità del salto. I bambini sono passati, nella ricerca della lunghezza del tavolo, dalle 6 scarpe e mezzo di Tommaso al 120 e poi al 125 tratti dalla lettura metrica. Un passaggio da un'operazione manuale e concreta ad un operazione tutta affidata ai segni convenzionali e simbolici del metro e dei suoi numeri. E il piano del tavolo - come un *dazebao* - dichiara visivamente e pubblicamente il processo seguito dai bambini.

Then they calculate the "shortness". It's three shoes, and three times 20 makes ***60****.*

However it may have happened, the quality of the leap is undeniable. In searching for the length of the table, the children have passed from the six and a half shoes of Tommaso to the 120 and then to the 125 taken from the metric reading. It is a passage from a concrete, manual operation to one that is entirely entrusted to the conventional symbolic marks of the measuring stick and its numbers. Now the table-top visually and publically demonstrates the process followed by the children.

Il metro finalmente adottato come campione è forse per i bambini poco più di un indicatore di numeri, pur fatti coincidere con una scala graduata di valori, capaci di misurare due punti distanti e fornire messaggi linguistici perfettamente comprensibili ad un destinatario.
All'improvviso accade un evento straordinario, imprevisto. Maneggiando la scarpa di Tommaso Marco scopre sulla suola il numero **29** (29 è in effetti il numero di scarpa di Tommaso).
«Un momento – grida – *qui c'è scritto 29 e non 20!»*. C'è un attimo di disorientamento.

Tommaso rivuole la sua scarpa. Non ha dubbi:
«Chi ha ragione, il 29 sotto la scarpa o il 20 del metro?».
«Il metro non sbaglia» gli fa eco Daniela.

Now adopted as a measuring tool, the meter stick may still be seen by the children as little more than an indicator of numbers, though these numbers coincide with a scale of values and can measure the distance between two points and supply a perfectly comprehensible verbal message to someone else.
At this point, an extraordinary and unexpected event takes place. Handling Tommaso's shoe, Marco discovers the number **29** *stamped on the bottom (Tommaso's shoe size).* «Wait a minute!» *he shouts.* «Here there's 29 and not 20!» *There is a moment of disorientation.*

Tommaso takes his shoe back. There's no doubt:
«So which one is right, the 29 on the bottom of my shoe or the 20 of the meter stick?»
Daniela speaks up immediately: «The meter doesn't make mistakes.»

Intanto è una specie di festa, di spettacolo.
Tutti i bambini si tolgono le scarpe e leggono il loro numero.

Meanwhile, there's a sort of party going on. All the children take off their shoes and read the size numbers.

Si accorgono che hanno scarpe e numeri diversi.

They realize that they have different shoes and numbers.

Dopo questa pausa ricordiamo ai bambini l'impegno preso con il falegname e proponiamo di raccontare attraverso un disegno, le misure del piano del tavolo. Trasferire il linguaggio numerico-matematico in linguaggio grafico è una prova difficile. I bambini ricorrono a rappresentazioni che vanno interpretate con attenzione. Sono mappe in cui coesistono storia e geografia, soggettività e oggettività delle esperienze accumulate.

After this pause, we remind the children of their promise to the carpenter and suggest that they show the measurement of the table-top in a drawing. Transferring the numeric-mathematical language to the graphic language is not an easy task, and the children make use of representations that should be interpreted cautiously. They are like maps on which there is a coexistence of history and geography, the subjectivity and objectivity of the experiences they have accumulated.

Vediamo il disegno di Tommaso.
In alto Tommaso affida al tavolo, con molto humour, il ricordo del bisticcio tra il 20 (misura metrica della sua scarpa campione) e il 29 che è, come abbiamo visto, il numero inciso sulla suola della medesima scarpa. Poi la rappresentazione si fa seria, include un'impronta simbolica della scarpa, con scritti dentro i numeri delle volte che la scarpa sta nella lunghezza e nella larghezza del tavolo. E non si dimentica di aggiungere 125 sul lato lungo e 60 su quello corto.

*Let's take a look at Tommaso's drawing.
In the upper part, Tommaso humorously draws the table with the memory of the dispute between the 20 (the metric measurement of the sample shoe) and the 29 which, as we have seen, is the number stamped on the bottom of that same shoe. Then his representation becomes more serious, including a symbolic outline of the shoe containing the numbers that mark the number of times the shoe fits in the length and width of the table. And he doesn't forget to add 125 on the long side and 60 on the "short" side.*

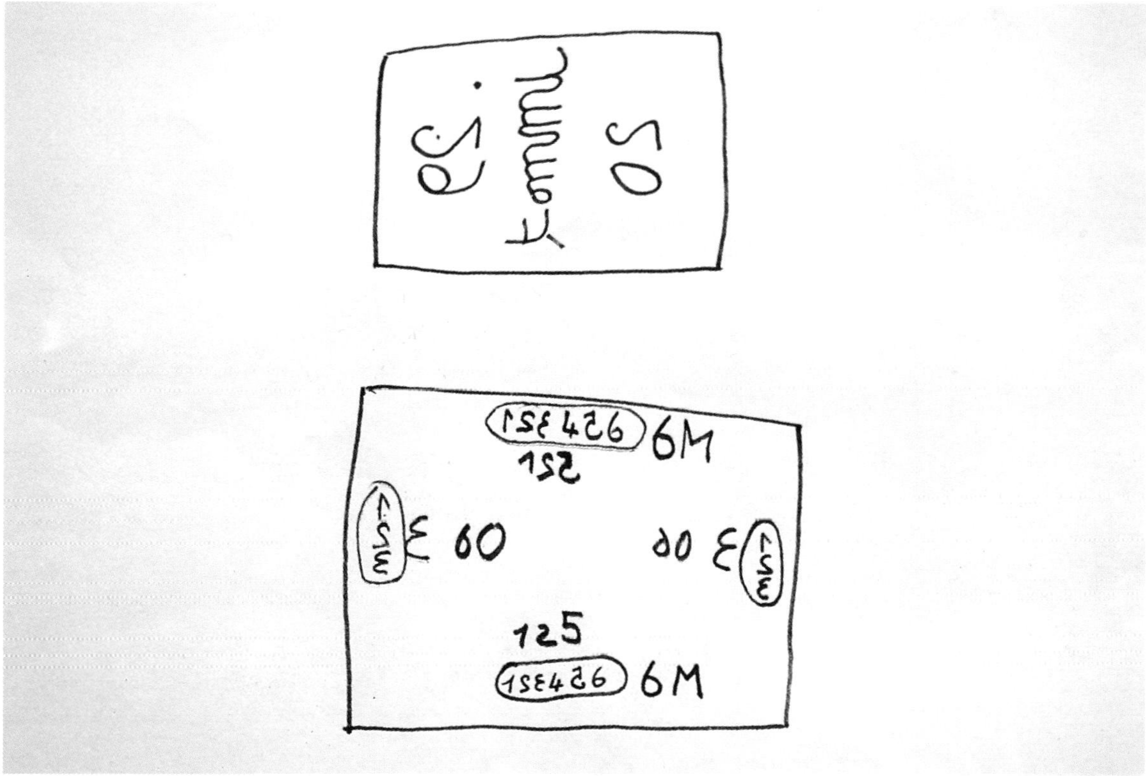

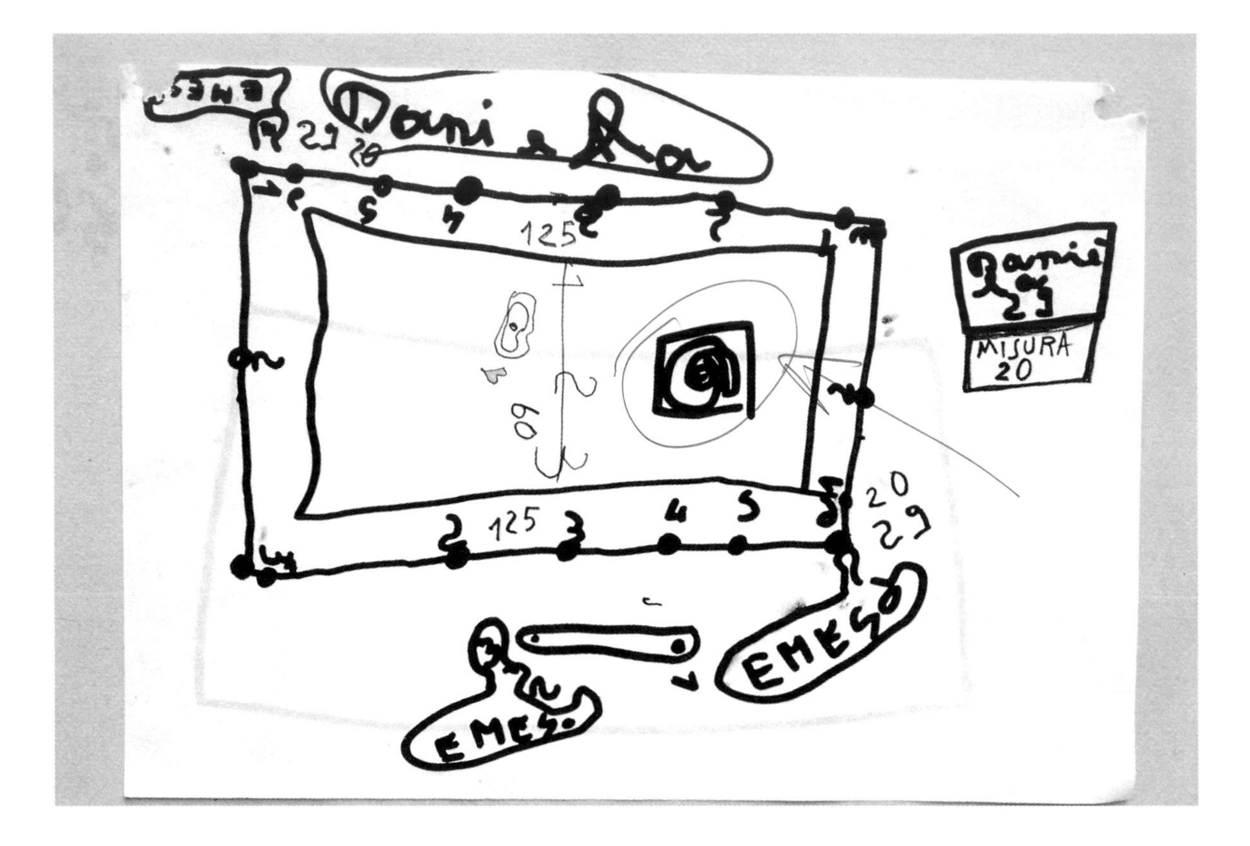
125
125
MISURA
20
EMESO
EMES.

Il disegno di Daniela che riaffida contemporaneamente le misure alla conta delle scarpe e a quelle del metro è, in verità, un messaggio cifrato d'amore rivolto a Tommaso, a cui dedica non solo un cuoricino collocato in bella vista al centro del tavolo ma anche una cornicetta estemporanea dove accanto alla sua firma aggiunge 29 (numero di scarpa di Tommaso) che funge da indirizzo del destinatario. Nella parte bassa del disegno appare per la prima volta una gamba del tavolo contrassegnata dalla scritta "**2 e mezzo**" (due scarpe e mezzo). Ma Daniela ci riserva una seconda grossa sorpresa con quel quadrato, visibile sul tavolo, che contiene un cerchio e una macchia scura.
È un oggetto estraneo, una specie di pittogramma che nessuno di noi riesce a decifrare.
Ci rivolgiamo a Daniela: *«È un disegno segreto»*, «Ma ha a che fare con il tavolo?», *«Sì»*. Ma non dice altro, quasi avesse paura di spiegarlo o avesse voglia di farci stare sulle spine. Ciò che poi racconta è strabiliante. Il quadrato è un buco immaginario del tavolo: ma se tu ci guardi dentro vedi la gamba del tavolo (il cerchio) e più giù il tondo del piede. È un incredibile scavo assonometrico, una tecnica difficile anche per un disegnatore provetto. Le sorprese che ci regalano i bambini - lo sappiamo per esperienza - vanno al di là dello stupore e spaccano molti paradigmi teorici.
Adesso il lavoro dei bambini ha una forte accelerazione. *«Abbiamo fatto solo il sopra del tavolo. Ci manca lo spessore»* ricorda Daniela. *«Lo facciamo tutto!»* dice Pier Luigi.

*Daniela's drawing shows the measurements from the shoe count and those of the meter stick. But perhaps it is actually a coded love message for Tommaso, to whom she dedicates not only a little heart in plain view at the center of the table, but also a small frame where she adds the number 29 (Tommaso's shoe size) next to her signature as if to show the recipient's address. In the lower part of the drawing, a leg of the table appears for the first time, marked "**2 and a half**" (two and a half shoes). But Daniela also gives us a second big surprise in the square that can be seen in the middle of the table, which contains a circle and a dark spot.*
This extraneous element is like a sort of pictogram that none of us are able to decipher. When we ask Daniela about it, she says: «It's a secret drawing.» *Does it have something to do with the table?* «Yes.» *But she says no more, as if she were afraid of explaining or wanted to keep us guessing. What she later tells us is astounding. The square is an imaginary hole in the table. If you look through it, you see the table leg (the circle) and further down the round foot. It is an incredible axonometric excavation, a difficult technique even for an experienced draftsman. The surprises that children hold for us - we know by experience - never cease to amaze, and often break down theoretical paradigms.*
Now the children's work begins to accelerate. «We've only done the top of the table. Now we need the thickness,» *Daniela reminds them.* «We'll do the whole thing!» *says Pier Luigi.*

«E le gambe?» aggiunge Riccardo. Già le gambe. *«Sono scomode da misurare* – avverte Alan – *bisogna andare dall'alto al basso o dal basso all'alto».*

«And the legs?» *adds Riccardo. Ah yes, the legs.* «They're hard to measure,» *notes Alan.* «You have to go from the top to the bottom or from the bottom to the top.»

Marco e Alan hanno voglia di far ridere. Si sdraiano a terra e fingono di misurare le gambe del tavolo sovrapponendo un piede sull'altro. La trovata ottiene l'effetto sperato.

Marco and Alan want to make everyone laugh. They lie down on the floor and pretend to measure the legs of the table by placing one foot above the other in the air.

E già c'è un'altra idea che viene avanti: quella di incartare via via tutte le parti del tavolo. I bambini vogliono notare per iscritto le misure: che si vedano, che restino ben ferme, che lascino una traccia.

Then another idea emerges: to cover all the parts of the table with paper. The children want to note down the measurements in writing, measurements that they can see, that "stay put", that leave a trace.

La misura delle gambe onora ancora la scarpa di Tommaso: **due scarpe e mezzo.**

*Tommaso's shoe is once again given preference for measuring the leg. The result is **two and a half**.*

Il metro è nelle mani di Daniela attentissima alle piccole dimensioni: misura lo spessore, scrive su un cartoncino che incolla: **3 centimetri**. Dove Daniela abbia raccolto la denominazione di centimetri non è stato possibile appurarlo. Fatto è che il termine viene subito assimilato dai compagni con una individuazione esatta della sua misura sul metro. I bambini tornano a misurare le gambe: sta bene la misura con la scarpa di Tommaso, ma molto meglio quella con il metro. Scrivono ***50 centimetri***, tutto deve essere regolare.

The measuring stick is now in the hands of Daniela, who is very attentive to the small dimensions. She measures the thickness of the table-top and writes ***"3 centimeters"*** *on a piece of heavy paper that she glues down. We were not able to ascertain where Daniela got this denomination, we only know that it was immediatly assimilated by her companions with an exact identification of its measurement on the meter stick. The children go back to measuring the legs. Measuring with Tommaso's shoe is okay, but it's much better with the meter stick. They write* ***"50 centimeters"****. Everything must be precise.*

Ora capovolgono il tavolo e tutto sarà più facile. È la volta della lunghezza e della larghezza.

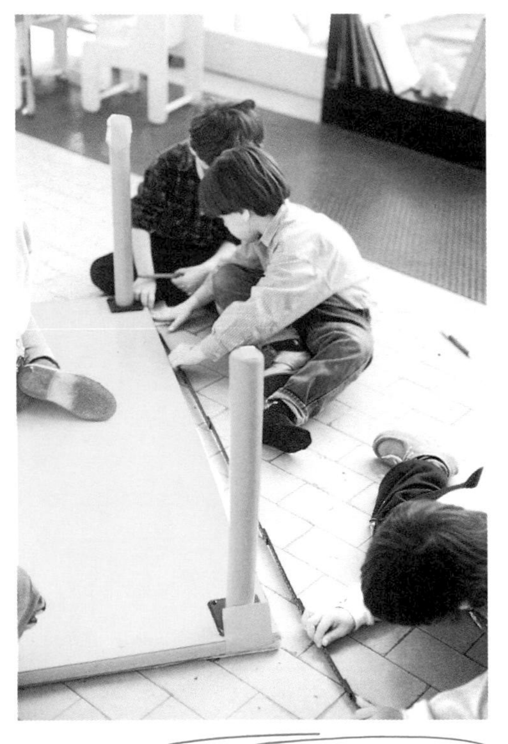

Now they turn the table upside down, which makes their task easier, and measure the length and width.

Risultano **128 e 63 centimetri**.

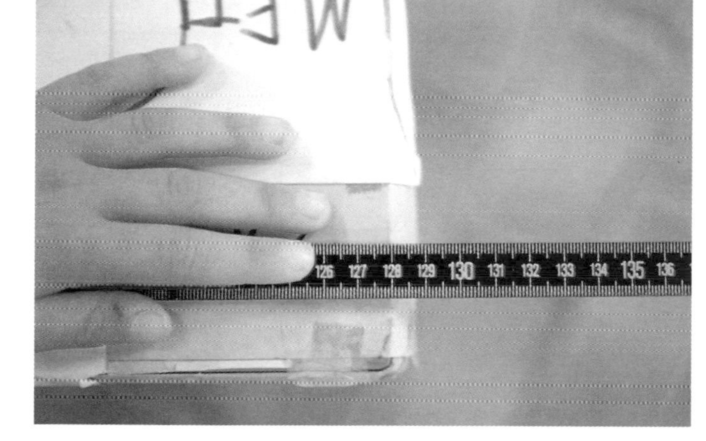

The results are ***128 and 63 centimeters****.*

Daniela dice: *«Bisogna misurare il tondo della gamba se no il falegname può fare la gamba cicciona».*
Sino ad ora i bambini hanno misurato le parti lineari del tavolo; in questo momento la circonferenza del piede suggerisce a Daniela la necessità di trovare un metro diverso, adatto a questa misurazione. Quale?
Daniela sceglie un metro a nastro flessibile: *«Sembra una biscia»* commenta Riccardo. Daniela recinge la gamba: *«Fa* ***16 centimetri*** – e precisa – *le altre gambe sono uguali».*

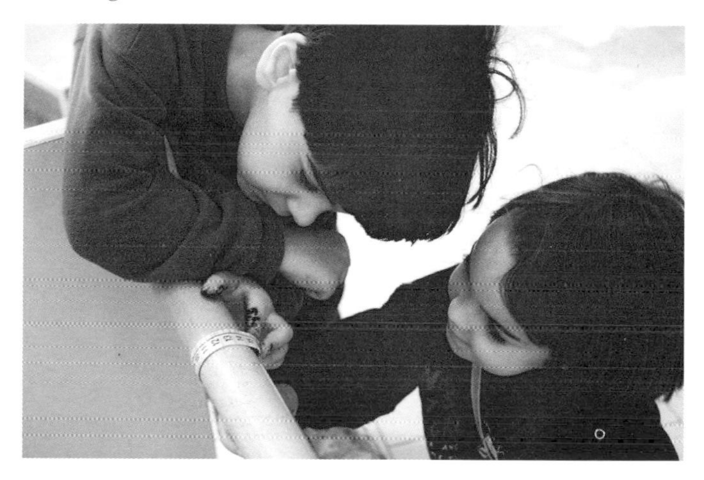

Daniela says: «We need to measure the round part of the leg, otherwise the carpenter might make it too fat.» *Up to now, the children have measured the linear parts of the table. In this instance the circumference of the foot suggests to Daniela the need to find a different instrument, one more suitable to this type of measurement. Which will it be?*
She chooses a measuring tape. «It looks like a snake,» *Riccardo comments. Daniela encircles the leg with the tape and says:* «It's **16 centimeters**.» *Then she adds:* «The other legs are the same.»

Adesso tocca al "sottopiede" (che è lo zoccolo della gamba): è di **4 cm**. Un cartellino segnala la nuova misura.

E qui accade un fatto curioso. Tommaso si avvicina e sovrappone la scarpa allo zoccolo. Dice: «***È la metà della metà della metà della scarpa***».
È un'intuizione notevole che scopre la possibilità di suddividere la lunghezza della scarpa in parti più piccole, regolari, sottomultiple. L'adozione del metro come unità di misura, preziosissimo con i suoi numeri, sembra un'acquisizione compiuta.

Next comes the “under-foot” (the base of the leg): it’s **4 cm.** They add another piece of paper with the new measurement written on it.

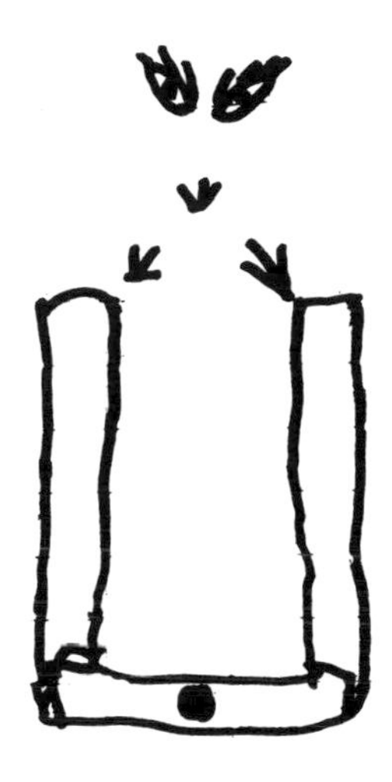

Now a curious thing happens. Tommaso puts his shoe next to the foot of the table leg and says: «**It’s half of half of half of the shoe.**» *It is a remarkable intuition that leads to a discovery of the possibility of subdividing the length of the shoe into regular smaller parts: submultiples. The adoption of the meter as a unit of measurement, so useful with all its numbers, seems to be fully acquired.*

Invece il nostro pronostico ha bisogno di altri tempi. Ce ne accorgiamo il giorno dopo quando i bambini, avendo già scelto la carta quadrettata (una scelta di indubbio interesse) propongono un'altra prova con il disegno. Supponiamo che i bambini, al di là di ogni apparenza, abbiano già il convincimento che il messaggio, che il falegname aspetta, è fatto di segni e di numeri tratti dal metro. E tuttavia capiamo perfettamente che si tratta di un guado non facile: si tratta di passare da un paradigma linguistico e concettuale ad un altro molto più sottile e rarefatto. I disegni ne sono testimonianza, ma testimoniano cose nuove. Quello di Marco elude ogni riferimento numerico e rimette in scena il tavolo con le impronte della scarpa. La cosa nuova da apprezzare è la rappresentazione del tavolo visto dall'alto con le quattro gambe che sporgono.

But as it turns out, what we predicted would happen needs more time. We realize it the next day when the children, having already selected graph paper (certainly an interesting choice), suggest another test by making drawings. Despite appearances, we assume that the children are convinced that the message to be given to the carpenter must include signs and numbers from the meter stick. Nonetheless, we are aware that it is not an easy passage, as it involves moving from a paradigm which is linguistic and conceptual to one which is much more subtle and rarefied. The children's drawings testify to this, but they also show some new elements.
Marco's drawing eludes any numerical reference and puts the table back into the scenario of the shoe. The new element that we note is his representation of the table as seen from above, with the four legs sticking out.

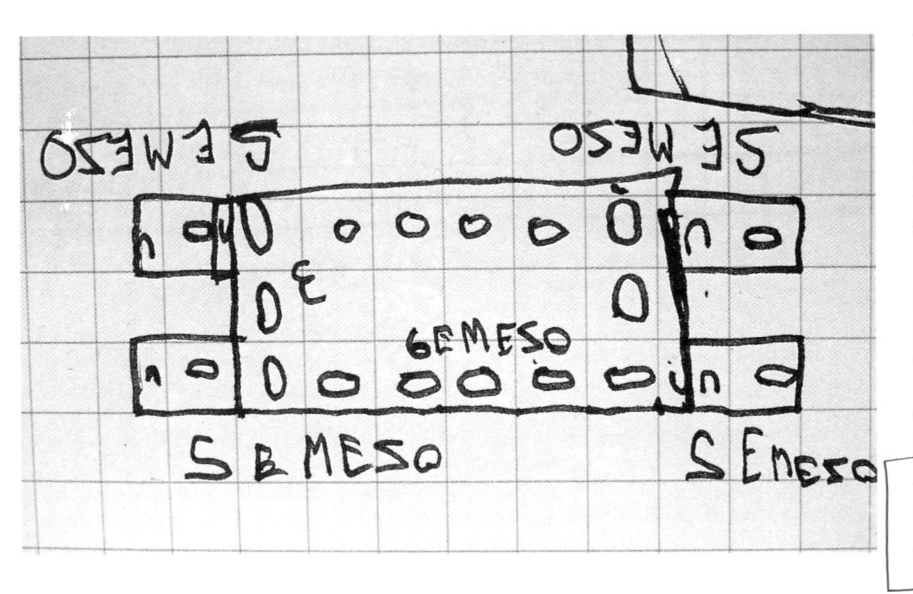

Tommaso: *«Prendiamo il foglio a quadretti che ci puoi camminare dentro; in quello bianco non ci puoi andare».*
Daniela: *«I quadretti li usiamo per i passi».*
Riccardo: *«Io non ci sto capendo niente... mi fate fare delle cose difficili».*

Tommaso: «Let's use that paper with the little squares that you can walk inside. You can't go like that on the plain paper.»
Daniela: «We can use the little squares for the steps.»
Riccardo: «I don't know what you're talking about... you're making me do things that are too hard.»

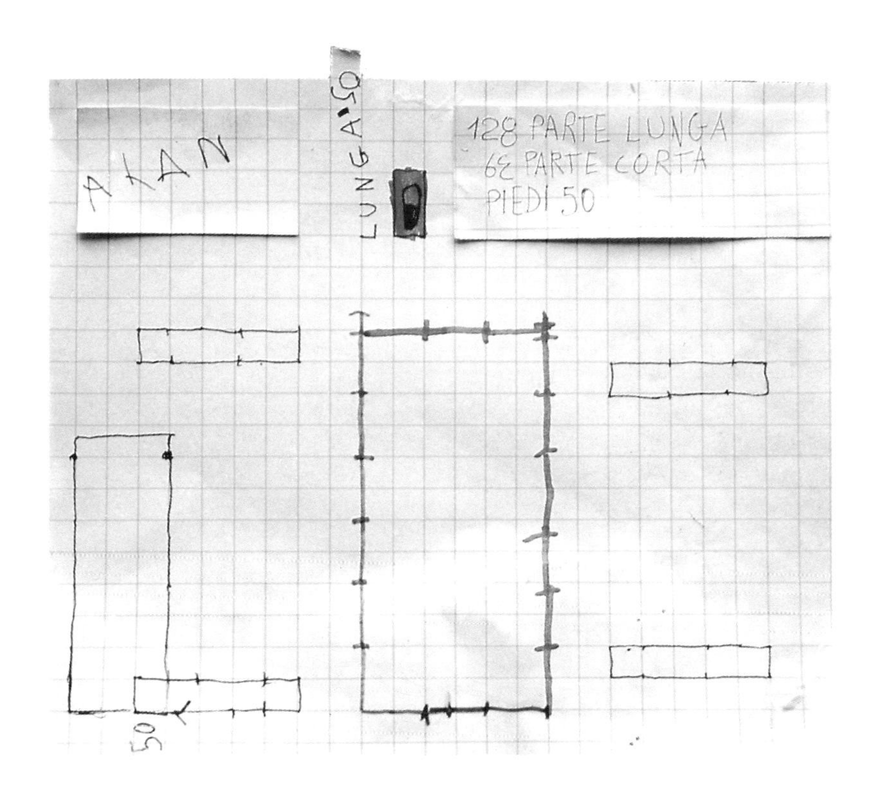

Decisamente più elaborato il disegno di Alan. Alan lavora sul rettangolo del tavolo. Divide in 6 parti la lunghezza e in 3 la larghezza secondo la partizione stabilita dall'ormai famosa scarpa di Tommaso. A latere ci sono le quattro gambe del tavolo che misurano due scarpe e mezzo. Ma la cosa inattesa ed eccitante è la scelta di un'unità descrittiva composta da due quadretti. Così la lunghezza diventa, a base due, di **12 quadretti e la larghezza di 6**. Alan assegna alle gambe del tavolo, di due impronte e mezzo, **5 quadretti** . La regola proporzionale, in scala, è rigorosamente rispettata. Una prova eccezionale di perizia e flessibilità logico-combinatoria.

Alan's drawing is much more elaborate. He works on the rectangle of the table, dividing the length into six parts and the width into three according to the measure established by Tommaso's famous shoe. On the sides of the paper are the four legs of the table which measure two and a half shoes. But the exciting and unexpected aspect is Alan's choice of a descriptive unit composed of two squares. In this way, with a base of two, the length becomes ***12 squares and the width 6****. Alan assigns* ***5 squares*** *to the legs of the table, which measure two and a half shoes. He rigorously follows the rule of proportion in scale. This is an exceptional example of logical-combinatorial skill and flexibility.*

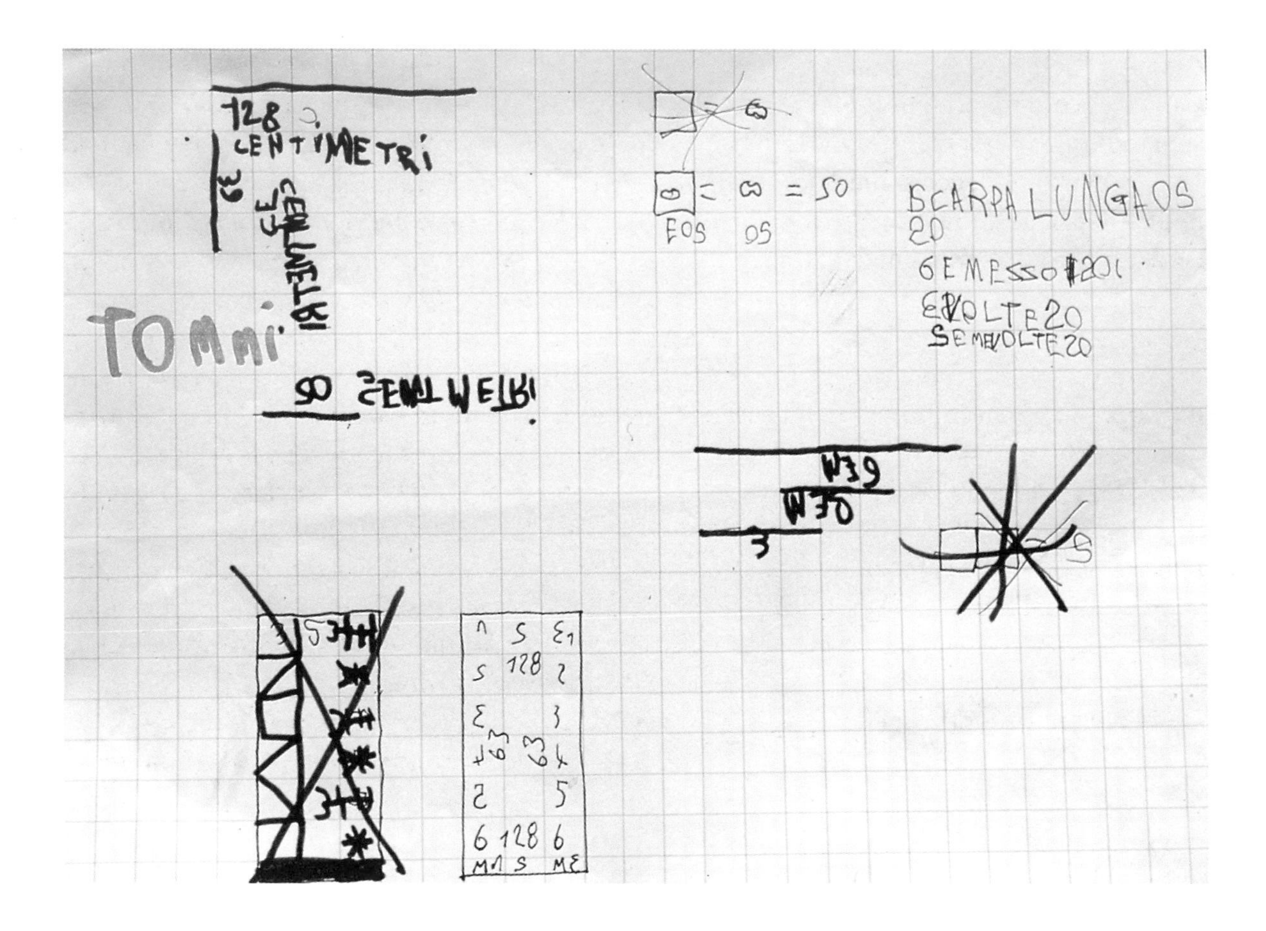
128
CENTIMETRI
TOMMI
SCARPA LUNGA OS
20
SE ME VOLTE 20

Con Tommaso il disegno prende un'altra strada. Non disegna il tavolo ma lo scompone nei suoi schemi: lunghezza, larghezza, altezza. Le indicazioni ricorrono al vecchio metodo, ogni scarpa un quadretto. Ma non dimentica le misure metriche 128, 63, 50 accompagnate dalla scritta centimetri. Ciò che ci lascia ammirati è quella specie di equazione formulata a margine laddove il bambino mette in fila il ricarico di un quadretto seguito dal segno = ad un'impronta della scarpa, seguita da un altro segno **= a 20 centimetri**. Un'equivalenza di simboli con una formalizzazione iconica e semantica di singolare efficacia che trascina con sé (senza far scandalo) l'ipotesi di qualcosa di più di un germinale pensiero operatorio e formale, induttivo e deduttivo che, se appare evidente in Tommaso, ci pare già avvertibile in alcune condotte dei compagni.

Tommaso's drawing takes another route. He doesn't draw the table as a whole, but breaks it up into its component dimensions: length, width, height. The indications return to the old method, with each shoe being one square. But he doesn't forget the metric measurements 128, 63, and 50 accompanied by the word "centimeters". What most impresses us about Tommaso's representation is the sort of equation formulated at the top of the page, where he made an outlined square followed by "=" and a shoe outline, followed by ***"= 20"*** *(centimeters). This equivalence of symbols, with a strikingly effective iconic and semantic formalization, leads us to hypothesize (without creating a scandal) something more than merely the germination of mathematical-operational thought, but rather true inductive and deductive thinking which, if evident in Tommaso's case, may also be ascertainable in his companions.*

I bambini discutono tra loro con molta intensità. Non li disturbiamo e restiamo a distanza. Quando si rivolgono direttamente all'insegnante dicono che Alan è il loro portavoce. Alan pone un quesito mettendogli dentro molti significati apprensivi e decisivi: *«Secondo te il falegname capisce di più con le scarpe o con i numeri del metro?»* e l'insegnante risponde: «Capisco che sia una decisione difficile... ma siete voi che dovete decidere... provate a discuterne». Allora Alan dice subito il suo parere: *«Al falegname dobbiamo dare i numeri»*. Daniela gli dà man forte: *«Se gli diamo la scarpa lui dice: che ci faccio con la scarpa?»*. Tommaso ribatte: *«Ma io dopo cosa faccio? Cammino con una scarpa sola?»*. Riccardo conclude: *«Sentite, dobbiamo decidere. O la scarpa o il metro!»*.

The children now discuss the situation intensively. We leave them alone and keep our distance. When they do approach the teacher, with Alan as their spokesman, they pose a question that expresses both apprehension and decision: «Do you think the carpenter can understand better with the shoes or with the numbers of the meter?» *The teacher replies: «I know it's a difficult decision... but you're the ones who have to decide. Just talk about it and try to decide.» So Alan immediately gives his opinion:* «We have to give him the numbers.» *Daniela backs him up:* «If we give him the shoe, he's going to say: What am I supposed to do with this shoe?» *Tommaso adds:* «Yeah, and what about me? Do I just walk around with one shoe?» *Riccardo concludes:* «Listen, we have to decide: the shoe or the meter!»

La scelta pare ormai inevitabile, occorre prendere una decisione. L'insegnante propone che si vada ai voti per alzata di mano. Tutti applaudono. «Chi vota per il metro?». Nessuno alza la mano.

The choice now seems inevitable: a decision has to be made. The teacher suggests that they vote by a raising of hands. Everyone applauds. «Who votes for the meter?» No one raises their hand.

«Chi vota per la scarpa?». Tutti alzano la mano.

«Who votes for the shoe?» Everyone raises their hands.

L'incoerenza del risultato è evidente: i bambini se ne accorgono subito, prima si fanno seri, poi scoppiano in una risata e chiedono di votare di nuovo.

The inconsistency of the result is evident, and the children realize it immediately. After a brief moment of seriousness, they burst out laughing and ask if they can vote again.

I bambini, come si sa, sono abbastanza inesperti di voto e di alzate di mano.

As we know, children are inexperienced in voting by the raising of hands.

L'insegnante ripete: «Chi vota per la scarpa?». Alzano la mano Tommaso e Daniela.

The teacher repeats: «Who votes for the shoe?» Tommaso and Daniela raise their hands.

«Chi vota per il metro?». Alzano la mano Alan, Marco, Pier Luigi e Riccardo.

«Who votes for the meter?» Alan, Marco, Pier Luigi, and Riccardo raise their hands.

Vince il metro e i vincitori tripudiano. Daniela e Tommaso sanno di essere in contraddizione con sé stessi. Forse hanno solo giocato, distratti, a stare insieme.
Ci pare che siano tutti d'accordo.
L'impressione è che i bambini abbiano capito che è giunto il momento di rinunciare al loro attaccamento, non solo affettivo, alla scarpa cui va il merito di molte avventure e apprendimenti.
C'è gratitudine, ma adesso tocca al metro e ai suoi numeri.

So the meter wins and the winners rejoice. Daniela and Tommaso are fully aware of having contradicted themselves, but perhaps they were just playing, somewhat distractedly, at "keeping together". Anyway, we think that all the children in the group agree. It seems that they have understood that the moment has arrived to let go of their attachment - more than just affectionate - to the shoe, which offered so many adventures and learning experiences. There is gratitude, of course, but now it's time for the meter and its numbers.

Un altro incontro ricognitivo permette ai bambini e alle insegnanti di ricapitolare gli ultimi avvenimenti. L'interesse dei bambini è di rivedere e rileggere gli ultimi disegni nei quali sanno di trovare il senso del loro lavoro.

Another reconnaisance meeting enables the children and teachers to revisit the events that have taken place. The children are interested in looking at their last drawings again, in which they know they will find the sense of their work.

Su due punti i bambini trovano pieno accordo, dopo aver confermato che al falegname consegneranno un disegno del tavolo con tutte le misure ottenute col metro. Primo: che bisogna scrivere su un foglio, come suggerisce Marco, tutte le misure: *«Per non fare più confusione»*.

After confirming that they will give the carpenter a drawing of the table with all the measurements obtained using the meter stick, the children agree unanimously on two specific points:
First, that they need to write all the measurements on a piece of paper, according to Marco's suggestion «so we don't make a lot of confusion».

Secondo: che ognuno di loro faccia ancora un disegno.

Second: that each of them will make a new drawing.

Poi, insieme, sceglieranno "le cose più belle" per fare l'ultimo disegno da dare al falegname.

Then as a group they will choose "the best things" to include in the final drawing to be given to the carpenter.

Il disegno finale è un assemblaggio che si avvale dei contributi di Tommaso, Riccardo e Daniela. Così hanno scelto i bambini anche se tutti porranno in fondo la loro firma. Ci troviamo di fronte ad una specie di cifrario che sta in poco spazio - come conviene ai linguaggi matematici - che è il punto di arrivo di un lungo e divertente percorso di idee, prove, negoziazioni, aggiustamenti, selezioni.
All'appello non manca nessuna delle misure che occorrono al falegname: lunghezza, larghezza, altezza e spessore del tavolo; lunghezza e circonferenza delle gambe; diametro dello zoccolo. Il tavolo è scomposto in versioni diverse: visto dall'alto, di fronte, di fianco. Ci sono freccine per indicare misure. Persino i quattro piccoli riquadri per gli incastri delle gambe. E anche se in disparte, il vecchio tavolo, con le impronte della scarpa di Tommaso.
Una sola licenza dei bambini: l'aggiunta, non prevista, di un cassettino, perché un tavolo che si rispetti il cassettino ce l'ha.

The final drawing is a collage using the contributions of Tommaso, Riccardo, and Daniela. This was the children's decision, though they all put their signatures at the bottom of the page. What we have is a sort of cipher book that fits in a small space - as is suitable for mathematical languages - and which is the point of arrival of a long and enjoyable story of ideas, trials, negotiations, adjustments, and selections. All the measurements the carpenter needs are there: the length, width, and thickness of the table-top; the height of the table; the length and circumference of the legs; the diameter of the base. The table is shown from different points of view: from above, facing front, and from the side. There are arrows to indicate the measurements, and the four little squares for the leg fittings. And also, though set apart, there is the old table with the outlines of Tommaso's shoe.
The children take only one liberty: the addition of a drawer, which was not in the original plan, because any self-respecting table must have a drawer.

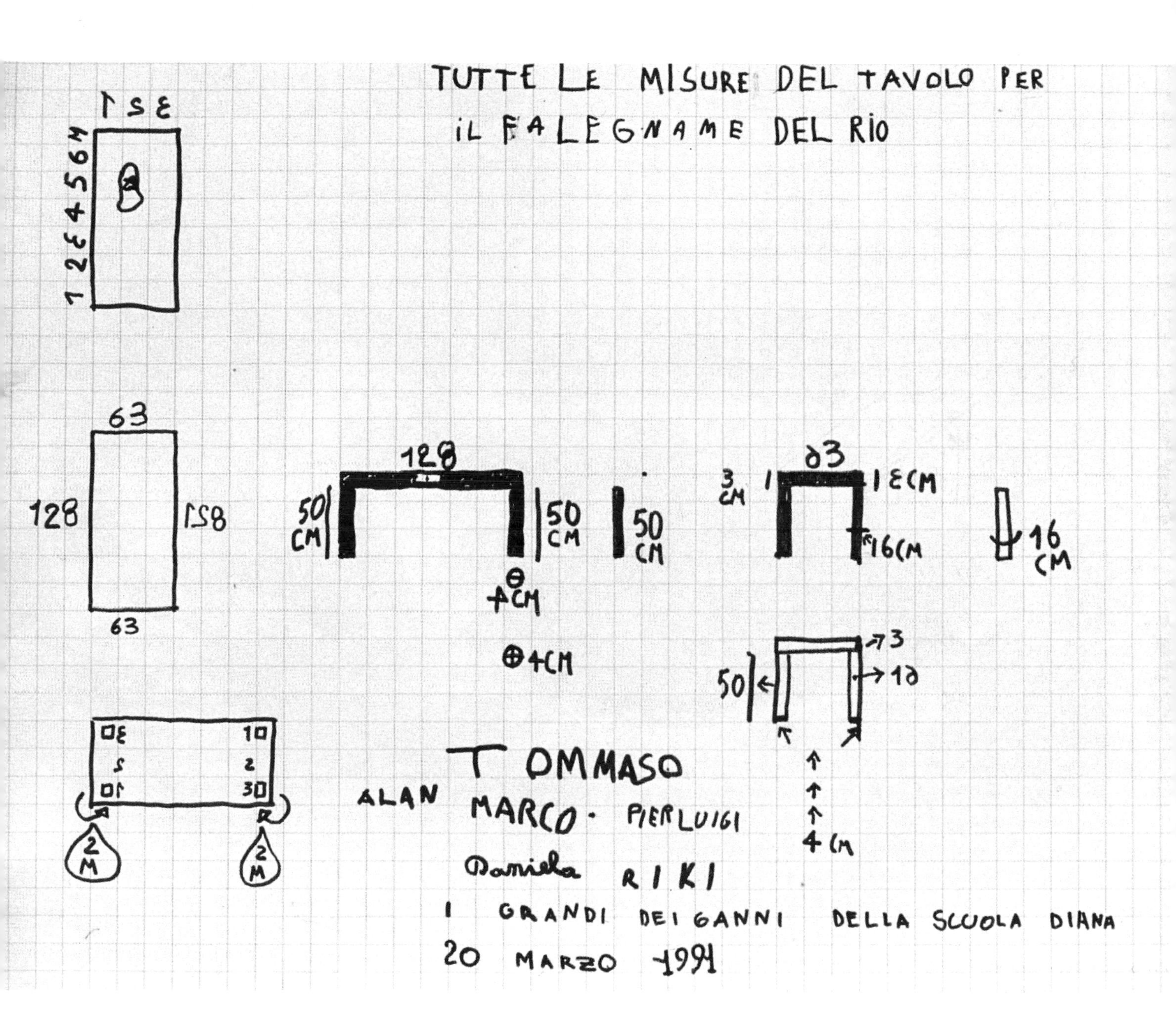
TUTTE LE MISURE DEL TAVOLO PER
IL FALEGNAME DEL RIO
63
128
128
63
128
50 CM
50 CM
50 CM
4CM
4CM
3 CM
1 3CM
16CM
16 CM
3
50
12
4 CM
TOMMASO
ALAN
MARCO · PIERLUIGI
Daniela
RIKI
I GRANDI DEI 6ANNI DELLA SCUOLA DIANA
20 MARZO 1991

Quando arriva il falegname tutto è pronto. Comprese, semmai avesse dubbi, le spiegazioni dei bambini.

Everything is ready when the carpenter arrives. Just in case he should have any doubts, the children give him detailed explanations.

Per stupirlo del tutto c'è una piccola antologia di disegni del tavolo di cui i bambini vanno molto fieri.

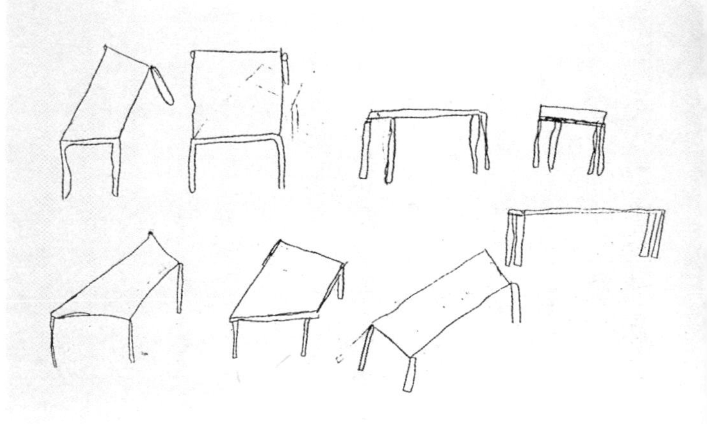

And to really impress him, they show him the anthology they have made of their drawings of the table, beaming with pride.

All'amico falegname i bambini scrivono anche una lettera di raccomandazione per lavorare bene.

The children also write a letter to their friend the carpenter, urging him to do a good job.

Scuola comunale dell'infanzia "Diana" viale Allegri 42100 Reggio Emilia tel. 0522/437308

CIAO CARO DEL RIO

STAI BENE?

COSA STAI FACENDO IN QUESTI GIORNI?

NOI E' TANTO TEMPO CHE ASPETTIAMO CHE TU SEI LIBERO DI FARE

IL NOSTRO TAVOLO.

NOI NON POSSIAMO FARTI VEDERE COME ABBIAMO MISURATO TUTTO IL TAVOLO

CI METTIAMO TROPPO TEMPO TI ABIAMO PREPARATO UN DISEGNO

CON TUTTE TUTTE LE MISUREDEL TAVOLO CON IL CASSETTO CHE VOLGLIAMO

NOI PROPRIO UGUALE NEANCHECON 1 SBAGLIO PICCOLISSIMO

A NOI CI PIACEREBE UN TAVOLO DI LEGNO DI QUERCIA E IL SOPRA GIALLO

LEGI BENE LE MISURE COSI' IL TAVOLO SARA' PERFETO.

STAI ATTENTO PERCHE' SE LAVORI IN FRETTA TI PUI ANCHE SBBAGLIARE

FAI .CON CALMA BASTA CHE CE LO PREPARI

RICORDATI DI METTERTI gli OCCHIALI COSI' VIENE MEGLIO.

CIAO DIVERTITI TANTI SALUTI LAVORA BENE SE NON CAPISCI

DELLE COSE

TELEFONA AL DIANA NUMERO 437308

A PRESTO ********$$$$$$$ TOMMASO
DANIELA
MARCO
RICCARDO
ALAN
PIER LUIGI
MARIA IMELDE

CIAO CARO DEL RIO
STAI BENE?

COSA STAI FACENDO IN QUESTI GIORNI?

NOI E' TANTO TEMPO CHE ASPETTIAMO CHE TU SEI LIBERO DI FARE IL NOSTRO TAVOLO.
NOI NON POSSIAMO FARTI VEDERE COME ABBIAMO MISURATO TUTTO IL TAVOLO CI METTIAMO TROPPO TEMPO TI ABIAMO PREPARATO UN DISEGNO CON TUTTE LE MISUREDEL TAVOLO CON IL CASSETTO CHE VOLGLIAMO NOI. PROPRIO UGUALE NEANCHECON 1 SBAGLIO PICCOLISSIMO
A NOI CI PIACEREBBE UN TAVOLO DI LEGNO DI QUERCIA E IL SOPRA GIALLO

LEGI BENE LE MISURE COSI ' IL TAVOLO SARA ' PERFETO.

STAI ATTENTO PERCHE' SE LAVORI IN FRETTA TI PUI ANCHE SBBAGLIARE
FAI .CON CALMA BASTA CHE CE LO PREPARI
RICORDATI DI METTERTI gli OCCHIALI COSI' VIENE MEGLIO.
CIAO DIVERTITI TANTI SALUTI LAVORA BENE
SE NON CAPISCI
DELLE COSE
TELEFONA AL DIANA
NUMERO 437308

A PRESTO*********$$$$$$$ TOMMASO
DANIELA
MARCO
RICCARDO
ALAN
PIER LUIGI
MARIA IMELDE

HELLO DEAR MR. DEL RIO
HOW ARE YOU?

WHAT ARE YOU DOING THESE DAYS?

WE'VE BEEN WAITING A LONG TIME FOR YOU TO HAVE TIME TO MAKE OUR TABLE.
WE CAN'T SHOW YOU HOW WE MEASURED ALL THE TABLE BECAUSE IT WOULD TAKE TOO LONG WE MADE A DRAWING WITH ALL THE MEASUREMENTSOF THE TABLE WITH THE DRAWER THAT WE WANT. EXACTLY LIKE THIS NOTEVEN WITH 1 TINY MISTAKE
WE WOULD LIKE TO HAVE A TABLE IN OAK WOOD AND THE TOP YELLOW

READ THE MEASUREMENTS GOOD SO THAT WAY THE TABLE WILL BE PERFECT.

BE CAREFUL BECAUSE IF YOU WORK IN A HURRY YOU MIGHT MAKE A MISTAKE
TAKE . YOUR TIME WE JUST WANT YOU TO MAKE IT
REMEMBER TO PUT your GLASSES ON SO YOU CAN SEE BETTER.
BYE-BYE HAVE FUN SEE YOU WORK GOOD IF YOU DON'T UNDERSTAND
SOMETHING
CALL US AT THE DIANA
NUMBER 437308

*SEE YOU SOON *******$$$$$$$ TOMMASO*
DANIELA
MARCO
RICCARDO
ALAN
PIER LUIGI
MARIA IMELDE

Per sorpresa, come a Natale,
durante il pranzo a scuola,
troverà la lettera sotto al piatto.

*As a surprise, like at Christmas,
he'll find the letter under his plate
when he comes to have lunch at
school.*

La storia va avanti. E il tavolo, il vecchio tavolo, bendato e incerottato come se fosse uscito dal Pronto Soccorso dell'ospedale, resta lì disposto a raccontare le inquietudini, le allegrie e le avventure di una scarpa, di un metro e di sei bambini curiosi.

The story continues. And the table - the old table - wrapped up and bandaged as if it had just come from the emergency room, remains there on display to tell about all the uncertainties, the fun, and the adventures of a shoe, a meter stick, and six curious children.

L'avventura del conoscere

Questo testo vuole essere una riflessione su una metodologia di osservazione e documentazione - che noi definiamo *sonda* - come strumento di ricerca e di conoscenza.
«...la sonda è una occasione, uno strumento per conseguire una osservazione della osservazione e soprattutto una conoscenza della conoscenza che resta uno dei fatti più ambiti e fecondi nel campo dei processi individuali del sapere e delle relazioni tra gli individui» [1].
La *sonda* - procedura utilizzata nel progetto "Scarpa e metro" - è comunque solo una tappa del percorso dei Nidi e delle Scuole dell'Infanzia di Reggio Emilia, una lunga storia, dove le strategie didattiche sono varie e si sono modificate nel tempo, grazie a un attento e reattivo *ascolto* di bambini, famiglie, insegnanti e della cultura esterna, soprattutto di quella che ricerca e costruisce nuovi *paesaggi* del sapere.

Per utilizzare tale metodologia sono necessarie alcune attenzioni:
- Occorre innanzi tutto porre la conoscenza dei bambini a premessa indispensabile di qualsiasi percorso educativo. I bambini infatti elaborano molteplici teorie e ipotesi interpretative della realtà che li circonda, teorie che spesso rimangono inespresse perché inascoltate; è importante essere consapevoli di quanto poco ancora conosciamo delle loro autonome strategie di apprendimento.
- Occorre avvicinarsi, osservare e documentare le bambine e i bambini con rispetto, curiosità, solidarietà; porsi molte domande, non temere i dubbi, non lasciarsi sedurre da una generalizzazione troppo rapida dei dati raccolti, possedere un buon senso della relatività, cercare confronti e punti di vista diversi.
- Occorre essere consapevoli che la documentazione[2] di ciò che si osserva è un materiale prezioso capace di autogenerazione.
È il materiale che ci permetterà di confrontarci con altri punti di vista, narrando e argomentando quello che è accaduto (ciò che noi abbiamo colto e interpretato di ciò che è accaduto). Non solo: è attraverso il materiale documentato che possiamo, nel tempo, rileggere più volte gli accadimenti, continuare a fare ipotesi, trovare nuovi significati e provare quella eccitazione gioiosa che coglie quando una scintilla interpretativa determina squarci illuminanti su ciò che è accaduto, alimentando nuove definizioni teoriche e orientamenti al lavoro.
La consapevolezza dell'importanza che assume la documentazione nel progetto orienta gli strumenti e i modi dell'osservare.
- Occorre infine saper abbandonare parte della *forma mentis* avuta in dotazione da una cultura della formazione degli insegnanti che crede di sapere quello che è giusto che i bambini sappiano, che pensa sia democratico che i bambini conoscano tutti nel medesimo modo, che è convinta che un insegnante è tanto più bravo quando sa in anticipo cosa deve fare e in che modo farlo.

La metodologia di ricerca *sonda* - che prevede il lavoro con un gruppo di bambini - è seguita generalmente da un insegnante e dall'atelierista[3], mentre, contemporaneamente, l'altro insegnante[4] della sezione osserva e coordina gli altri bambini divisi in gruppi di lavoro in attività diverse.
Uno degli aspetti emergenti di questa struttura progettuale è la continuità temporale: tutte le mattine si riprende con i bambini il filo lasciato il giorno prima - utilizzando i documenti e le tracce prodotte in precedenza - e si prosegue senza sapere bene dove si arriverà quel giorno; alla fine di ogni giornata si ascoltano e trascrivono le registrazioni verbali, si leggono più di una volta cercando di capire e interpretare i fatti accaduti, ci si confronta e si discute facendo previsioni e ipotesi. Appena possibile si guarda il materiale fotografico che consente altre ipotesi e fornisce altri indizi di ricerca.

Il ritmo di esplorazione dei bambini è discontinuo: a tratti la ricerca sembra avanzare regolarmente, in altri momenti appare incomprensibile la deviazione presa.
La ricerca sviluppa, sia nei bambini che negli insegnanti, antenne sensibili e ricettive, costruendo una situazione di *tensione conoscitiva*; c'è spesso eccitazione, a volte spaesamento, sempre interesse.
Tra l'insegnante e l'atelierista avvengono spesso, in diretta, scambi di pareri su ciò che stanno osservando e in alcuni momenti - quando il lavoro dei bambini pare arenarsi - rapide consultazioni per decidere se intervenire e come farlo o se rimanere in attesa che il problema momentaneo venga superato autonomamente (cosa che accade nella maggioranza dei casi). Astenersi o intervenire, attraverso quali proposte farlo, come rilanciare ai bambini i termini più avanzati della loro ricerca senza prevaricazione adulte, bandire le certezze di una unica interpretazione, sono gli elementi che coesistono e accompagnano tutto il lavoro; occorre accettarli come fattori produttivi, rischiare nelle scelte e accettare gli errori.
I bambini come vivono questo nostro ruolo?
Sinteticamente diremmo che hanno fiducia, che si sentono liberi di provare, fare errori, discutere.
Ci utilizzano, in alcuni momenti come risorsa, ad esempio chiedendoci di diventare "notai" per riassumere i fatti accaduti, in altri per sintetizzare le ultime ipotesi emerse nel gruppo.
Sentono che stiamo facendo - pur se con un altro ruolo - ricerca insieme a loro; soprattutto sentono la nostra stima, solidarietà e amicizia.

La sonda è per l'insegnante una grande palestra conoscitiva, argomentativa e interpretativa, dove è cosciente della forte responsabilità che si assume con il ruolo di *narratore* nel corso e al termine dell'esperienza.
Mentre la ricerca dei bambini evolve, l'insegnante continuamente modifica le attese, le ipotesi, le previsioni, consapevole che è importante interpretare ma ancora più capire.

La realizzazione di *sonde* come quella presentata ci hanno consegnato una consapevolezza importante: che la creatività e l'eccezionalità si trovano più facilmente nei processi che nei risultati; si trovano nel pensiero e nel costruire quotidiano delle bambine e dei bambini, se collocati in un contesto che non sovrappone valori e metodi precostituiti, ma studia e ascolta i processi autonomi dei bambini.
Ci ha dato anche una grande fiducia nelle loro strategie autorganizzative.
Ci ha fatto scoprire maggiormente e reso più curiosi dei tanti modi di pensare, delle tante e diverse strategie del conoscere.
Pensiamo che le *sonde* abbiano contribuito fortemente alla fase di ricerca che attualmente stiamo portando avanti: la documentazione dei processi individuali di conoscenza e le nuove strategie di lavoro conseguenti.

Un capitolo a sé andrebbe dedicato alla documentazione fotografica (anche in questo libro così fondamentale per la narrazione). Nei Nidi e nelle scuole dell'Infanzia e Materne sono molti gli insegnanti che fotografano ma non sono moltissime le fotografie significative. Non sono sufficienti tecnica e buoni strumenti, occorre porsi in una situazione d'*ascolto* particolare. È necessario abbandonare una doppia immagine di bambino entrata fortemente nei nostri occhi e nelle nostre menti: quella proposta dalla cultura vigente dei mass media, estremamente semplificata e monologica; e quella fornita dalla pedagogia e didattica ufficiali dove, generalmente, i bambini appaiono diligentemente *incolori* e dove il senso estetico viene forse valutato una qualità marginale rispetto al conoscere e al capire.
La macchina fotografica deve sapere guardare i bambini con occhi e mente particolarmente curiosi di *incontrare* il bambino nel suo campo di azione; coglierne le sfumature inedite (che sono tante), ponendosi come obiettivo la restituzione alle bambine e ai bambini delle loro molteplici identità.
Ci sono poi le difficoltà tecniche implicite; i bambini sono velocissimi a modificare atteggiamenti, movimenti, espressioni; a mettersi di spalle davanti all'obbiettivo coprendo tutta la visuale, facendo *mucchio*, groviglio umano attorno un *qualche cosa* che non si saprà mai se importante o no, in condizioni di luce spesso impossibili.
Nonostante queste difficoltà, un ampio e prezioso materiale fotografico di documentazione raccolto negli anni nei Nidi e nelle Scuole dell'Infanzia, è testimone delle accresciute capacità di sensibile intelligenza ed empatia degli insegnanti e atelieristi.

Un ultimo aspetto a cui vogliamo accennare è l'importanza di trasmettere un materiale come quello presentato in questo libro a persone che non sempre partecipano direttamente al lavoro con i bambini: pedagogisti, psicologi, ricercatori, genitori così importanti per l'evoluzione del progetto educativo complessivo.
Crediamo che restituisca a tutti, la vitalità della conoscenza, troppo spesso costretta in una *scrittura* parziale, poco corrispondente alla

vivacità e alla eccitazione della ricerca.
Inoltre, anche se occorre capire meglio i significati, siamo convinti dell'importanza che assume anche per i bambini il ripercorrere le strade e le procedure seguite nel corso di un progetto.
La struttura narrativa del libro - *a story bord o fotoromanzo* - che abbiamo scelto è un tentativo di sottolineare maggiormente quell'intreccio vitale dal quale le avventure della conoscenza non vanno mai separate.
Sonde come questa ci hanno reso ancora più consapevoli di quale terreno fecondo e privilegiato possono essere per la conoscenza della donna e dell'uomo osservarne e documentarne la germinazione e l'evolversi nei Nidi e nelle Scuole dell'Infanzia.

Crediamo che sia davvero difficile produrre un progetto di formazione scolastica dei ragazzi innovativo e in sintonia con i modi dell'apprendere e del conoscere se non si alimenta e sostiene la ricerca permanente sul campo della primissima infanzia.
Il cambiamento culturale in atto oggi con la nascita di una intelligenza digitale, che sta costruendo strutture diverse di pensiero e relazione - il cui sviluppo possiamo solo intuire e prevedere in minima parte - rende ancora più urgente e basilare la conoscenza dei processi di apprendimento delle bambine e dei bambini di oggi.
È solo attraverso questa conoscenza che possiamo accorgerci delle differenze e dei cambiamenti in atto e futuri.

La sintonia con il futuro è già fortemente orientata dal presente, e un mestiere difficile come il nostro non può non assumersene, almeno parzialmente, la responsabilità.

Marina Castagnetti, Marina Mori,
Laura Rubizzi, Paola Strozzi (insegnanti scuola Diana),
Vea Vecchi (atelier Diana)

1 Il testo tra virgolette è di Loris Malaguzzi ed è tratto da una bozza per un discorso sulle sonde dell'aprile del 1988.
2 Documentazione: cosa si intende con questo termine è chiaramente scritto nel testo iniziale di Sergio Spaggiari.
3 Atelierista: è il nome che il tempo e le abitudini hanno consegnato alle insegnanti di formazione artistica (provenienti da accademie o licei artistici) che dal 1968 sono presenti negli atelier di tutte le Scuole dell'Infanzia di Reggio Emilia.
Una figura difficile da spiegare perché esce dai canoni tradizionali. Non è una specialista di settore, non si occupa esclusivamente di atelier. Svolge il ruolo di ricercatore sul campo, porta il contributo di competenze e culture diverse all'interno di un gruppo di lavoro, contribuisce a rendere le scuole un laboratorio, un luogo di ricerca, sperimentazione e apprendimento.
4 Ogni sezione di 25 bambini divisi per età è coordinata da una coppia d'insegnanti con il medesimo ruolo giuridico, contemporaneamente presenti dalle ore 8,30 alle ore 14. Prima e dopo questo orario è presente una sola insegnante.

The Adventure of Learning

As teachers, we would like to offer some reflections on a method of observation and documentation that we use as an instrument for our research. We call this method a "probe".

«... The probe *is both an opportunity and an instrument for making an observation of an observation, and above all for developing knowledge of knowledge, which continues to be one of the strongest elements in the individual learning processes and the relationships between individuals.»*[1]

This kind of probe, *the procedure we used in the "shoe and meter" experience, is only one point in the development of the Reggio Emilia municipal infant-toddler centers and preschools, part of a long story in which the didactic strategies have been modified over time thanks to attentive and responsive* listening *to children, families, teachers, and the surrounding culture, and particularly that part of the surrounding culture that researches and constructs new* landscapes *of knowledge.*

A number of considerations should be made in terms of using this method: - First of all, as teachers, our understanding of children and their knowledge is the indispensable focus for any educational project. Children produce many theories and hypotheses for interpreting the surrounding reality, but these often remain unexpressed because they are not listened to. We thus need to be aware of how little we actually know about children's autonomous learning strategies.

- We need to get close to children, to observe and document them with respect, curiosity, and solidarity, to ask ourselves many questions, not be afraid of doubts, and not let ourselves be seduced by overly rapid generalizations of the information we gather. We need to have a good sense of relativity and to share our ideas collectively and seek out different points of view.

- We must be aware that the documentation[2] *of what we observe is both invaluable and self-propagating. The material we collect makes it possible for us to compare our own ideas and points of view with those of others, discussing and reflecting on the events that have taken place (or better, what we have understood and the interpretations we make about these events). Moreover, the documentary material enables us to revisit the events again and again over time, to continue making hypotheses, find new meanings, and experience that wonderful excitement that arises when an interpretative spark provides a sliver of illumination about what has taken place, stimulating new theoretical definitions and directions for our work. Our awareness of the importance of documentation in a project provides orientation for choosing the tools and methods we use in our observations.*

- Finally, we must abandon the belief (instilled in us by our teacher training) that we always know what is right for children to learn, that it is democratic for all children to learn everything in the same way, and that the sign of a good teacher

is how much she knows in advance about what she has to do and how to do it.

The probe method of research generally involves one classroom teacher and the atelierista[3] working with a small group of children, while the second classroom teacher[4] observes and coordinates the other children working in groups on various activities.
One of the emergent aspects of this type of planning and organization is the continuity of time. Every morning, the teachers and children can take up the thread of the previous day using the documents and traces produced thus far, and continue without knowing precisely where we will arrive that day. At the end of each day, we listen to and transcribe the verbal recordings and read over the transcriptions a number of times, trying to understand and interpret the events that have taken place. We discuss and compare ideas, make predictions and formulate hypotheses. As soon as possible, we view the photographic material produced, which enables us to make further hypotheses and provides further suggestions for our research.

The rhythm of children's explorations is not always continuous. Sometimes their research seems to advance in a regular way, but in other moments the directions they take seem almost incomprehensible to us.
For both children and teachers, the research process means developing sensitive and highly receptive antennas, building a situation of cognitive tension that involves excitement, sometimes disorientation, but always the highest level of interest.
The teacher and the atelierista often exchange ideas "on the fly" about what they are observing. In certain moments, if the children's work seems to be stagnating, they have a quick consultation to decide whether to intervene and how, or to wait and see if the momentary problem is resolved autonomously by the children (which happens in the majority of cases). Whether to abstain or intervene, how to do so, how to "throw back" to the children the most advanced points of their research without preconceptions and rejecting the certainties of a single interpretation: these are the questions that constantly accompany our work. We must accept them as productive factors, take risks in making choices, and accept our mistakes.
But how do the children experience this role of the teacher? In short, we could say that they are trusting and that they feel free to try, to make mistakes, to discuss among themselves. Sometimes they use the teacher as a resource; for example, asking us to be the "notary" who summarizes the events that have taken place or to synthesize the most recent hypotheses that have emerged. They clearly perceive that we are researching alongside them - though in another role - and most of all they sense the esteem, solidarity, and friendship that we feel for them.

For the teacher, the probe is an excellent training ground for learning, reasoning, and interpreting. Within this context, we are fully conscious of the enormous responsibility that we assume in our role as narrator during and after the experience.
As the children's research evolves, we continuously adjust our expectations, hypotheses, and predictions, in the awareness that it is important to interpret but even more so to understand.

Using probes such as the one presented in this book have taught us something very important: that creativity and exceptionality can be found more easily in processes than in results. These aspects can be clearly seen in the daily thinking and constructing of children, provided the children are working in a context that does not superimpose pre-constituted values and methods but, instead, studies and listens to their autonomous processes. Working in this way has given us the utmost faith in children's self-organizational strategies and abilities. It has helped us to discover and made us more curious about children's many ways of thinking, their many and different learning strategies and styles. We feel that these probes have made an important contribution to our current phase of research, in which we are trying to document individual processes and consequently develop new working strategies.

An entire chapter could be dedicated to photographic documentation (which is so fundamental to the narration in this book as well). Many teachers of young children take photographs, but few of these images are really significant. It is not enough to have good technique and high quality instruments; we must adopt a very special attitude of listening. We need to abandon two images of Child that have been forced on our eyes and minds, i.e. the extremely simplified image proposed by contemporary mass media culture, and the "colorless" one supplied by official pedagogy, where the esthetic sense seems absolutely marginal with respect to knowing and understanding.
When using the camera, we have to look at children with different eyes and a different mind, curious to encounter them in their field of action, to grasp the unknown or unusual nuances (which are many) with the aim of offering back to children a picture of their many identities.
There are also implicit technical problems in photo-documentation. Children are extremely quick to change positions, movements, and expressions. They turn their backs to the camera and block the view; they form human entanglements around something for which we will never know the ultimate importance. And we are often faced with inadequate lighting conditions. Despite these difficulties, the extensive and invaluable collection of photographic documentation gathered over the years by our infant-toddler centers and preschools clearly demonstrates the development of the teachers' and atelieristas' capacity for sensitive intelligence and empathy.

A final aspect that we wanted to mention is the importance of communicating material such as

that presented in this book to people who do not always participate directly in the work with children: pedagogistas, psychologists, researchers, and parents, all of whom are so important for the development of the overall educational project.

We feel that this type of presentation clearly communicates the vitality of the learning experience, which is so often limited to a partial "script" having little correspondence with the real excitement and energy of children's explorations.

We also recognize the importance of the children being able to revisit the paths and procedures they followed to reach a goal, though we would like to understand more about this process.

The narrative structure that we have chosen - like a sort of story-board *- is an attempt to give the maximum visibility to that interweaving of the events of life from which adventures in learning should never be separated.*

Probes *such as this have made us even more aware of how observing and documenting the germination and evolution of human learning that takes place in a school of young children creates a fertile and valuable groundwork for understanding human life.*

It is difficult to produce an innovative educational project for schools of all levels that is in tune with young people's ways of learning and knowing if such a project is not nurtured and sustained by ongoing research in early childhood.

The cultural changes that are now taking place, with the birth of a digital intelligence *that is creating different structures of thought and relation (the future development of which we can only guess at and only minimally predict) makes it even more urgent and essential for us to understand the learning processes of the young children of today.*

It is only through this understanding that we can, at least partially, be aware of the differences and the changes currently taking place and have an idea of those yet to come.

Being in tune with the future is strongly conditioned by the present, and in our difficult job as teachers, we cannot decline to assume at least part of this enormous responsibility.

Marina Castagnetti, Marina Mori,
Laura Rubizzi, Paola Strozzi *(Diana School teachers),*
Vea Vecchi *(Diana School atelierista)*

1 *This citation was taken from notes written by Loris Malaguzzi for a lecture on "probes" given in April 1988.*

2 *Documentation: see the introductory text by Sergio Spaggiari for a discussion on the meaning of this term in our experience.*

3 *"Atelierista" is the name that time and habit have assigned to the teachers in the Reggio Emilia preschools who are graduates of an art academy or institute. The atelierista has been a permanent member of the staff of the municipal preschools since 1968.*
The role of the atelierista is not easy to explain using traditional canons. She or he is not merely an "art educator" or a specialist in the field, nor does the atelierista work exclusively in the atelier. The atelierista is, rather, a sort of on-site researcher who contributes his or her different background and skills to the group as a whole, helping to make the entire school a workshop, a place for research, experimentation, and ongoing professional development.

4 *Each class of 25 children is coordinated by a pair of teachers who have the same official status and role and are present in the class together from 8.30 a.m. to 2.00 p.m.. Before and after this time, only one teacher is present.*

Un metro per l'amicizia

Era l'autunno del 1991 quando il professor Malaguzzi ed io ci recammo a Parigi per partecipare al Convegno Internazionale organizzato dall'IEDPE, l'associazione europea che ha tra le sue finalità lo sviluppo e la valorizzazione delle potenzialità dell'infanzia. Al centro della riflessione dunque le potenzialità e le competenze espresse dai bambini nei loro processi di apprendimento e di costruzione della conoscenza.
Alcuni dei partecipanti erano stati invitati a presentare i risultati più avanzati delle loro ricerche attraverso documenti scritti, video o diapositive.
Fu in quell'occasione che il professor Malaguzzi presentò per la prima volta il documento "Scarpa e metro" raccolto ed illustrato in questo volume.
Erano presenti tra gli altri Mira Stambak, Hermine Sinclair, Tullia Musatti del CNR di Roma, Laura Bonica dell'Università di Genova.
Ricordo ancora l'emozione e - in un certo senso - la tensione del professor Malaguzzi mentre si accingeva a presentare il documentario in diapositive. Non era solo la qualità dell'auditorio - un pubblico di esperti di fama internazionale e di grande competenza professionale - ma la natura stessa della ricerca pedagogica. Veniva infatti posta attenzione non solo sulle strategie di apprendimento dei bambini, ma anche su quello che tradizionalmente viene definito *il ruolo dell'adulto*, cioè la quantità e qualità dell'intervento dell'insegnante.
Come e quando attuare un intervento, capace di favorire i processi ed i percorsi che i bambini compiono, per acquisire alcuni dei concetti fondamentali per i loro rapporti col mondo?
Si può presentare ad un bambino un concetto, un'idea in modo che essa cambi veramente i significati della sua esperienza. Ad esempio: un gruppo di bambini che apprende in modo significativo il concetto di conservazione della materia ed invarianza - come è visibile anche in questa esperienza - non solo vede il mondo in modo diverso, ma *costruisce* un mondo profondamente diverso. Si crea così per lui un mondo nuovo, o meglio un modo nuovo di interpretare e vivere il mondo.
Era dunque questo tipo di consapevolezza che aveva suggerito al professor Malaguzzi di presentare questa esperienza e nel contempo era la natura stessa della problematica pedagogica in essa espressa a generare la sua motivata preoccupazione.
Infatti al termine della presentazione - seguita da tutti i presenti con molta attenzione - una domanda emerse tra le altre e coinvolse molti nella discussione. La domanda si può così riassumere: «Non era più corretto agevolare il processo dei bambini proponendo loro di usare il metro? In particolare quando i bambini suggeriscono di usare il metro non era *più corretto,* quindi più rispettoso dei bambini, confermare e sostenere questa loro decisione invece di lasciarli avanzare e poi - apparentemente - retrocedere per poi ritornare alla decisione di usare il metro, scomponendolo nelle sue parti?» Quest'ultima operazione era

ritenuta troppo complessa per i bambini di questa età e quindi rinviabile a poi...(un poi che in realtà, a mio parere, sarebbe stato deciso più dai programmi che dagli eventi e dai bambini stessi!). Ma soprattutto a qualcuno pareva improprio avere lasciato i bambini a sostare così a lungo su di una questione senza alcun intervento esplicativo e risolutivo da parte dell'adulto. «Il metro esiste, i bambini lo conoscono, lo nominano, lo sanno usare...anche se non ne conoscono le peculiarità intrinseche (i centimetri, i decimetri ecc...). Sono così piccoli!».
«Vivono un tempo, un'epoca ove non solo conoscono il metro, ma molti altri strumenti e tecniche» commentavano.
In sostanza per alcuni quello che si era prodotto era stato uno *spreco* di tempo e di energie per un risultato che si sarebbe potuto ottenere con minore fatica e forse maggiore efficacia e soddisfazione da parte dei bambini. La giovane età dei protagonisti suscitava inoltre non pochi dubbi attorno all'opportunità di coinvolgerli in progetti così complessi.
Una questione che trascende dal caso specifico e ci pone davanti ad una problematica educativa di natura *epocale* cioè propria e tipica del periodo storico che stiamo attraversando.
Quotidianamente infatti facciamo - noi e bambini anche piccolissimi - inferenza sulla realtà che ci circonda, mettiamo in relazione eventi, costruiamo categorie e concetti, decidiamo relazioni casuali sulla base di presunte evidenze, agiamo e producaiamo informazioni, utilizziamo strumenti ed immagini: tutto questo è guidato da criteri, da presupposti che solo di rado sono espliciti e condivisi. Semplicemente *li usiamo* per poi abbandonarli qualora una situazione un contesto ci obbliga o induce ad adottarne altri diversi, per evitare conseguenze negative o azioni inadeguate. Molto spesso cioè assolviamo al compito, risolviamo il problema senza una profonda comprensione del modo e del perché, del senso più complessivo del nostro agire. Manipoliamo dati, informazioni, immagini, strumenti di ogni tipo, sempre più complessi ed astratti, senza darci il tempo per riflettere, per integrare nelle strutture di conoscenza preesistenti i nuovi elementi, cioè per cambiare il nostro modo di pensare.
Questa è dunque la natura del problema che anche in questo dibattito si affrontava: come costruire conoscenze che abbiano significato per chi apprende, come vivere con i bambini, con i ragazzi la consapevolezza del nostro sapere, delle nostre costruzioni mentali, delle relazioni che esistono tra queste ed i modi di osservare ed interpretare la realtà.
A parere del professor Malaguzzi e di molti degli interlocutori presenti, i processi strutturanti sono quelli descritti in questa esperienza: processi lunghi nel tempo, condivisi, capaci di accogliere le pause, i silenzi, le retrocessioni, le differenze e le divergenze; processi che coinvolgono l'individuo nella sua interezza cognitiva, emotiva e relazionale. Il vero problema non era e non è dunque quando e

come spiegare od offrire il metro ai bambini (a quale età? in quale modo?) ma è piuttosto chiedersi come creare le condizioni che consentano lo sviluppo del pensiero divergente e creativo; come sostenere la capacità ed il piacere di confrontarsi con le idee degli altri piuttosto che rapportarsi con l'unica idea presunta *vera* o giusta, cioè quella del sapere legittimato, dei codici e delle aree disciplinari. Questo è tanto più vero ed importante tanto più il bambino è piccolo: è questione pedagogica e didattica ma anche etica e valoriale. La scuola, la sezione diviene il luogo dove ognuno è messo di fronte alla necessità di esplicare, prima di tutto per sé stesso, il sapere di cui dispone per confrontarlo, prestarlo, scambiarlo con gli altri.
E chiede che l'insegnante si collochi all'interno del contesto, partecipe, innanzitutto perché curioso di conoscere i vari modi che i bambini hanno di guardare, interpretare e rappresentare il mondo. Sarà a partire da questi modi e mondi rappresentati da ciascun bambino che trarrà origine e si poggerà il percorso di apprendimento che insieme - adulti e bambini - costruiranno. Un percorso di costruzione di saperi ma anche di consapevolezza attorno ai modi di questa costruzione: lo scambio, il dialogo, la divergenza, la negoziazione ma anche il piacere del pensare e dell'agire insieme che è il piacere dell'amicizia. È dunque la consapevolezza che porta i veri elementi di novità nel dialogo didattico. Ognuno dei partecipanti deve essere consapevole e dunque responsabile del processo in atto, deve poterlo progettare, deve poterlo vivere e deve soprettutto potersi divertire in questo *gioco di specchi* e provare il gusto di scoprire tante logiche: quelle degli amici, la propria, quella dell'insegnante e quella...del metro.
Ed io, oggi, sono più che mai convinta che queste argomentazioni scelte dal professor Malaguzzi per legittimare il percorso di un gruppo di bambini, di una scarpa e di un metro siano più che mai attuali e rendono questa esperienza una preziosa occasione di riflessione.

Carla Rinaldi
Dirigente pedagogica dei Nidi e delle Scuole dell'Infanzia
del Comune di Reggio Emilia

Amici come pochi

The best of friends

A Measure for Friendship

It was in the autumn of 1991 that Professor Malaguzzi and I went to Paris to participate in an international conference organized by the IEDPE, a European association whose aim is the development and enhancement of young children's potentials. The theme of the conference was thus the potential and competence expressed by children in their knowledge-building processes. Some the participants were asked to present the most advanced results of their research by means of written documents, videos, or slide documentaries. It was on this occasion that Professor Malaguzzi presented for the first time the "shoe and meter" experience which is the subject of this book.
Among the participants were Mira Stambak, Hermine Sinclair, Tullia Musatti of the CNR (National Research Center) in Rome, and Laura Bonica from the University of Genoa.
I remember Professor Malaguzzi's excitement, but also a certain degree of tension, as he prepared to present the slide documentary. It was not just due to the quality of the audience, which was composed of internationally known and respected experts, but the nature of the pedagogical research itself. The attention was not only on the children's learning strategies but also on that which is traditionally defined as the "role of the teacher"; that is, the quality and quantity of adult intervention. The question was: How and when do we intervene in order to foster the children's learning paths and processes so that they can acquire the fundamental concepts for their relationships with the world?
A concept or an idea can be presented to a child in such a way that it truly changes the meanings of his or her experience. For example, children working in a group who learn the concepts of conservation of matter and invariance in a significant way - as can be seen in this experience - not only see the world in a different way, but construct a world that is profoundly different. Thus each child creates a new world, or better: a new way of interpreting and experiencing the world.
It was this awareness that suggested to Professor Malaguzzi to present the "shoe and meter" experience, but it was also the nature of the pedagogical issue raised in this project that generated his well-founded worries.
In fact, at the conclusion of his presentation, which had been followed attentively by all present, one of the questions that emerged stimulated intense discussion. The question could be summarized as follows: «Would it not have been more correct on the part of the teachers to facilitate the children's process by suggesting that they use a standard measuring stick? And when the children bring out the idea of using the meter stick, would it not have been more correct, and thus more respectful of the children, to confirm and support their decision instead of letting them go forward and then [apparently] backward, only later returning to the decision to use the meter stick, breaking it up into its component parts?» This latter operation was

considered to be too complex for children of this age and thus should have been postponed to a later date (a later date which, in my opinion, would have been established more by a pre-planned curriculum than by the events and the children themselves!). But above all, there were some in the audience who thought it was inappropriate to have allowed the children to spend such a long time working on a problem without any explanations or solutions offered by the teachers. Such comments were made as: «The meter exists, the children know it, they talk about it, they know how to use it... even though they do not understand its intrinsic characteristics (centimeters, decimeters, etc.). They are so young!» And also: «These children live in a time in which they are familiar not only with the meter stick but with many other instruments and techniques.» Substantially, the opinion of many of the participants was that the experience was a waste of time and energy for achieving a result that would have been possible with less effort and perhaps more effectiveness and satisfaction on the part of the children. The tender age of the protagonists also raised many doubts about the wisdom of involving them in such a complex project.
This issue transcends the case at hand and places us in front of an educational problem that we could define as "of our times"; that is, inherent to and typical of the historical period in which we are living.
Every day, in fact, we (and this includes even the youngest children) make inferences about the reality that surrounds us. We put events into relation, we construct categories and concepts and establish random relations based on presumed evidence. We produce and act on information, use instruments and images. All this is guided by criteria and assumptions that are only rarely explicit and shared. We simply use these criteria and assumptions and then abandon them when a situation or a context obliges or induces us to adopt different ones in order to avoid negative consequences or inadequate actions.
Very often, then, we carry out a task or resolve a problem without a deep understanding of how or why we did so, of the more complex meanings of our action. We manipulate all kinds of data, information, images, and instruments which are increasingly complex and abstract, without giving ourselves time to reflect, to integrate the new elements into our pre-existing knowledge structures; i.e. to change our way of thinking.
This is the nature of the problem which was also confronted in the discussion in Paris: how to construct knowledge that is significant for those who learn, how to share with children and young people the consciousness of our knowledge, of our mental constructions, of the relationships that exist between these constructions and ways of observing and interpreting reality.
It was the opinion of Professor Malaguzzi, as well as many of those present, that the real structuring processes were precisely those described in the "shoe and meter" experience: processes that extend over time, that are shared, that allow for pauses, silences, retreats, differences, and

divergences; processes that involve the individual in his or her cognitive, affective, and social wholeness.

The real problem, then, is not when and how to explain or present standard measuring instruments to children (at what age? in what way?), but rather to ask how we can create the conditions that enable the development of divergent and creative thought; how to sustain the ability and the pleasure involved in comparing ideas with others rather than simply confronting a single idea that is presumed to be "true" or "right" (legitimated knowledge, established codes and disciplinary areas). All this is much truer and more important the younger is the child. It is not only a pedagogical and didactic issue, but also one of ethics and values.

The school and the classroom become the place where each individual is confronted with the need to explain his own knowledge - first of all to himself - in order to compare it, loan it, exchange it with others. This requires the teacher to be inside *the context, fully participating, above all because she is curious to understand the various ways that children observe, interpret, and represent the world.*

The path of learning that children and adults construct together originates from these ways and worlds represented by each child. We construct not only knowledge but also an awareness of how this construction takes place: exchange, dialogue, divergence, negotiation, and also the pleasure of thinking and working together which is the real pleasure of friendship. It is this awareness that brings truly new elements into the didactic dialogue.

Each of the participants in this process must be aware of, and thus responsible for, what is taking place. This means planning and living the experience, and above all enjoying it in this "game of many mirrors", with the resulting satisfaction of discovering many logics: your own, those of your friends, your teachers - and in this story, the logic of the meter.

Today more than ever I am convinced that the arguments offered by Professor Malaguzzi in support of the path taken by this group of children with a shoe and a meter stick, continue to be very much "of the moment", and this is what makes Shoe and Meter *such a wonderful opportunity for reflection.*

Carla Rinaldi

Pedagogical Director of the Municipal Infant-toddler Centers and Preschools of Reggio Emilia

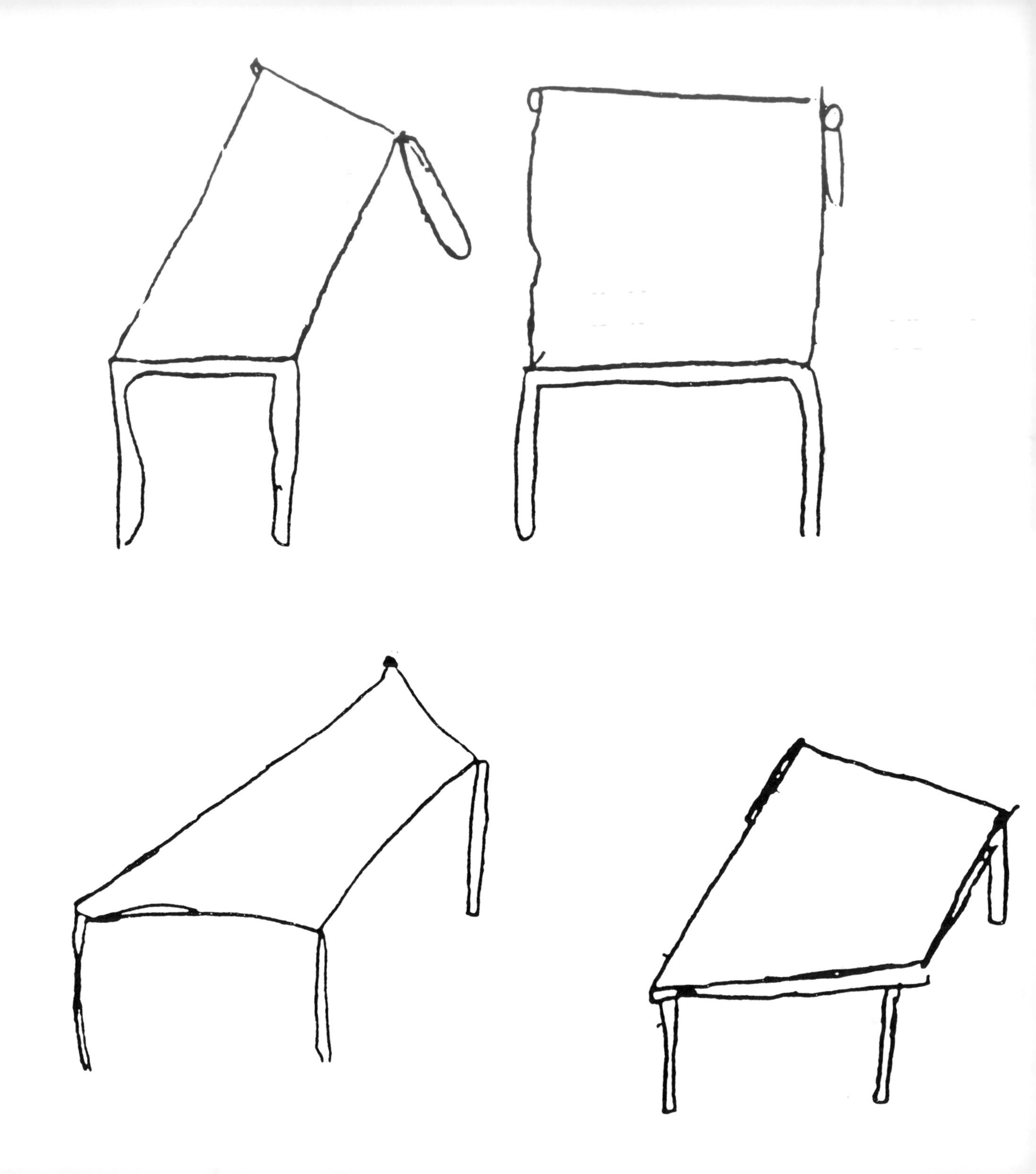

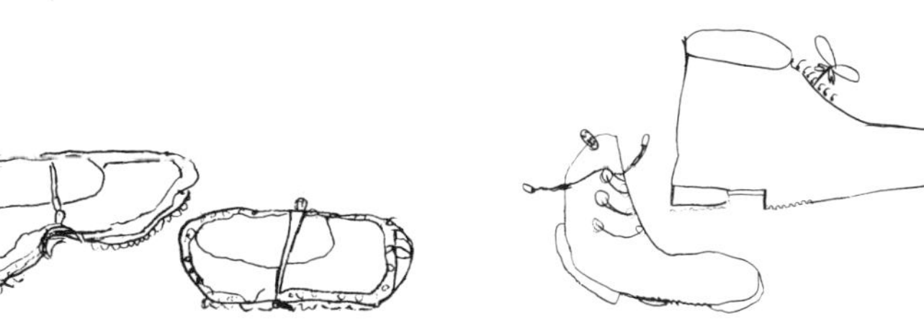
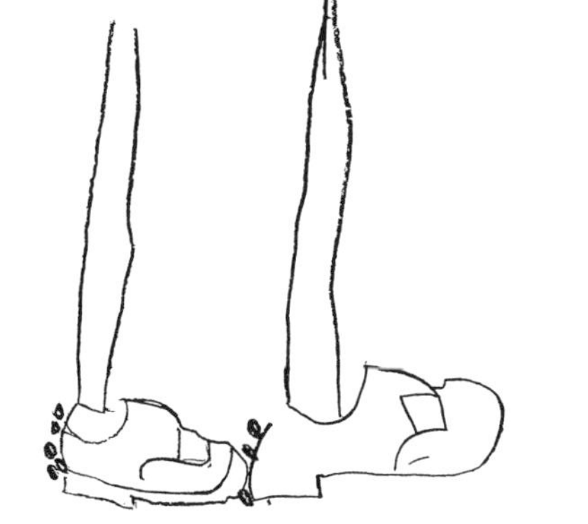